JN035136

総合判例研究叢書

民　　法 (18)

有 斐 閣

序

フランスにおいて、自由法学の名とともに判例の研究が異常な発達を遂げているのは、その民法典が百五十余年の齢を重ねたからだといわれている。それに比較すると、わが国の諸法典は、まだ若い。最も古いものでも、六、七十年の年月を経たに過ぎない。しかし、わが国の諸法典は、いずれも、近代的法制を全く知らなかつたところに輸入されたものである。そのことを思えば、この六十年の間に極めて重要な判例の変遷があつたであろうことは、容易に想像がつく。事実、わが国の諸法典は、それに関連する判例の研究でこれを補充しなければ、その正確な意味を理解し得ないようになつている。

判例が法源であるかどうかの理論については、今日なお議論の余地があろう。しかし、実際問題として、多くの条項が判例によつてその具体的な意義を明かにされているばかりでなく、判例によつて特殊の制度が創造されている例も、決して少くはない。判例研究の重要なことについては、何人も異議のないことであろう。

判例の創造した特殊の制度の内容を明かにするためにはもちろんのこと、判例によつて明かにされた条項の意義を探るためにも、判例の総合的な研究が必要である。同一の事項についてのすべての判決を探り、取り扱われた事実の微妙な差異に注意しながら、総合的・発展的に研究するのでなければ、判例の研究は、決して終局の目的を達することはできない。そしてそれには、時間をかけた克明な努力を必要とする。

　幸なことには、わが国でも、十数年来、そうした研究の必要が感じられ、優れた成果も少くないようになつた。いまや、この成果を集め、足らざるを補ない、欠けたるを充たし、全分野にわたる研究を完成すべき時期に際会している。

　かようにして、われわれは、全国の学者を動員し、すでに優れた研究のできているものについては、その補訂を乞い、まだ研究の尽されていないものについては、新たに適任者にお願いして、ここに「総合判例研究叢書」を編むことにした。第一回に発表したものは、各法域に亘る重要な問題のうち、研究成果の比較的早くでき上ると予想されるものである。これに洩れた事項でさらに重要なもののあることは、われわれもよく知つている。やがて、第二回、第三回と編集を継続して、完全な総合判例法の完成を期するつもりである。ここに、編集に当つての所信を述べ、協力される諸学者に深甚の謝意を表するとともに、同学の士の援助を願う次第である。

昭和三十一年五月

編集代表
小野清一郎　宮沢俊義
末川博　我妻栄
中川善之助

凡　例

一　判例の重要なものについては、判旨、事実、上告論旨等を引用し、各件毎に一連番号を附した。

二　判例年月日、巻数、頁数等を示すには、おおむね左の略号を用いた。

大判大五・一一・八民録二二・二〇七七　（大審院判決録）
（大正五年十一月八日、大審院判決、大審院民事判決録二十二輯二〇七七頁）
大判大一四・四・二三刑集四・二六二　（大審院判例集）
最判昭二二・一二・一五刑集一・一・八〇　（最高裁判所判例集）
（昭和二十二年十二月十五日、最高裁判所判決、最高裁判所刑事判例集一巻一号八〇頁）
大判昭二・一二・六新聞二七九一・一五　（法律新聞）
大判昭三・九・二〇評論一八民法五七五　（法律評論）
大判昭四・五・二二裁判例三・刑法五五　（大審院裁判例）
福岡高判昭二六・一二・一四刑集四・一四・二一一四　（高等裁判所判例集）
大阪高判昭二八・七・四下級民集四・七・九七一　（下級裁判所民事裁判例集）
最判昭二八・二・二〇行政例集四・二・二三一　（行政事件裁判例集）
名古屋高判昭二五・五・八特一〇・七〇　（高等裁判所刑事判決特報）
東京高判昭三〇・一〇・二四東京高時報六・二・民二四九　（東京高等裁判所判決時報）
札幌高決昭二九・七・二三高裁特報一・二・七一　（高等裁判所刑事裁判特報）

前橋地決昭三〇・六・三〇労民集六・四・三八九（労働関係民事裁判例集）

その他に、例えば次のような略語を用いた。

裁判所時報＝裁時　家庭裁判所月報＝家裁月報

判例時報＝判時　判例タイムズ＝判タ

目　次

債権者遅滞

三島宗彦

はしがき

債権者遅滞の問題は判例学説相互の間に基本的な対立がある困難な領域であり、弁済の提供や同時履行の抗弁権などとの関係も複雑にからみあつている。しかも、この問題固有の領域を取扱つた判例はきわめて少数に過ぎない。その多くは、隣接領域に関するものである。勢い、本稿では他とのバランスを失しないかを恐れながらも、比較的多く学説を取扱い、また下級審判決も対象とせざるをえなかつた。実際問題としては、双務契約の場合債権者遅滞にある債権者は同時に反対債務についても債務不履行に陥るのを普通とするから、異論の多い債権者遅滞を理由とする救済を求めるよりも、堅実に債務不履行に依拠していくことが多い。判例の少ないゆえんである。

しかし、債権者遅滞の要件や効果を検討し、債権法の全体系中に正当な位置づけをなすことは、民法の規定が簡略に過ぎるだけに重要なことだと思われるし、債権法を貫く信義則の適用を明らかにする上からも不可欠のことのように考えられる。そういつた意図に出た本稿も、資料不足と判例および諸学説の十分な検討をなす余裕がないままに、粗雑なものに終つたのではないかを恐れる。大方の御教示を切望する次第である。

なお、文中において債権者遅滞と受領遅滞の用語を厳密に区別して用いることはしなかつた。ドイツ法学界においても、ともに用いられており、とくに区別したり、他方を排斥する必要を認めなかつたからである。

一　債権者遅滞の本質
――債権者に受領義務ありや――

一　問題の所在

債権者遅滞（受領遅滞）の本質が何であるか、ということについては、古くから学説の対立するところであつて、判例もまた最近に至つてその傾向を示し始めている。債権者も債務者の履行に当つてこれに協力すべき義務があるか（債務者単独で履行が可能な場合はもとより別として）、すなわち、債権者には受領義務があるかどうかということは、債権者遅滞の効果として何が発生するかという問題と関連して、その影響するところはかなり大きいのである。このことについては、民法が債権者遅滞について僅か一条を設けたに止まり、その要件および効果について詳細に規定しなかつたことも一半の原因をなしている。民法第四一三条は、「債権者カ債務ノ履行ヲ受クルコトヲ拒ミ又ハ之ヲ受クルコト能ハサルトキハ其債権者ハ履行ノ提供アリタル時ヨリ遅滞ノ責ニ任ス」と規定しているが、「其債権者ハ……遅滞ノ責ニ任ス」という条文自体からは債権者の責任の内容を定めることは困難だからである。あるいは、債権者も遅滞に陥ることによつて受領義務または協力義務違反の故をもつて債務不履行となり、その責を負わされるとの意味に解することも可能であろうし、あるいはまた、債権者は本来権利を行使するか否かの自由を有するものであるから、債務者の給付を受領する権利はあつても、これを受領する義務を負うものではない、しかしながら、遅滞以後にあつても債務者の責任に変動はないとすることも債務者に酷な場合があるから、公平の観念に立つて信義則上認められた責任である、と解することも可能であろう。

前者の立場に立てば、債権者遅滞は債務不履行の一種ということになるから、債務者は損害賠償請求権を取得するだけでなく債権者遅滞を理由として直ちに契約の解除権を行使することが可能になる。後説を主張する者は、これらの効果を認める必要がない（解除権については、反対債権に関する相手方の債務不履行を待てばよいし、かつそれで十分だとする）というばかりでなく、その他の効果についても前説の認めるそれより狭い範囲に限定しようとする。したがつて、両説の争は単に理論上のそれに止まらず、法律効果に関する実利と結びついているといつてよい。しかも、前述のように、その解決を条文上の根拠に求めることが困難であるとすれば、勢い債権者遅滞の本質いかんという基本問題に立帰つて、民法全体の構造との関連を考慮しつつこれを検討するほかはない。

ちなみに、この制度はローマ法以来の沿革を有するものであるが、フランス法とドイツ法ではその規定を異にしている。前者にあつては、債権者遅滞に伴う一般的効果について規定するところなく、ただ僅かに供託ができるに至ることを定めるに止まる。すなわち、債権者の受領拒絶があれば債務者は法定の手続によつて（フ民一二五七条）弁済の提供をなし、拒絶の証明があつたときは弁済の目的物を供託することによつて債務を免れるに過ぎない。受領義務の観念をいれる余地は少ないといわねばならぬ。したがつて、わが民法の解釈として、フランス民法に学ぶ点はほとんどない。

これに反し後者は、売買および請負について買主および注文者の受領義務を認める（ド民四三三条・六四〇条）けれども、一般的に受領義務を規定する条文をおいていない。否、むしろ原則的に受領義務のないことを前提として債権者遅滞の制度を設けたものと考えられている（エンネクチェルスによれば、「債権者の給付受領義務は、それについて明示または黙示の合意が成立しているか、あるいは買主の受領義務の場合のように、法律の規定がある限りにおいてのみ認められる」と。Vgl. Enneccerus-Lehman, Lehrbuch des Bürgerlichen Rechts, II. Band, S. 237. またラレンツは、「履行遅滞と異なつて債権者遅滞には、債権者（またはその補助者）の帰責事由を必要としない。債権者自身は民法の建前としては、受領の義務を負うものでもなければ、その他の協力義務を負うものでもないから、帰責事由というようなことは、その本来の意味においてありうべからざることである。法律の規定（たとえば売買契約における四三三条二項）によつて、または契約の一部をなす合意によつて受領義務が成立するときは、責に帰すべき事由にもとづく不履行の場合に、履行遅滞の効果が及ぶという限りにおいて、債権者は債務者とみなされているのである」と。Vgl. Larenz, Lehrbuch des Schuldrechts, I. Band, S. 232.）。そしてドイツ民法上、債権者遅滞の効果として認められるものは一般に次の効果だとされる。すなわち、（イ）責任軽減（債務者の注意義務は軽減され、故意および重過失の場合にのみ責任を負うこととなる、三〇〇条一項）、（ロ）果実収取義務の軽減（故意に収取を怠つた場合しか責を負わない、三〇二条）、（ハ）利息の停止（利息付金銭債務の場合に法定および約定利息の停止、三〇一条）、（ニ）双務契約における危険の移転（三二四条二項）、（ホ）占有放棄（不動産譲渡債務の場合、三〇三条）および供託（動産譲渡債務の場合三七二条以下）の権利発生、（ヘ）増加費用の補償（保管費用、保険料等の増加費用について債権者が負担せねばならぬ、三〇四条）がそれである（Enneccerus-Lehman, a. a. O., S. 237 ff.）。債権者に損害賠償義務が課されるのは、買主の場合のように（四三三条二項）目的物の引取義務を負いながらその義務を履行しなかつたときにのみ、履行遅滞の観点からなされるに過ぎない。債務者が契約解除権を取得しないこともいうまでもないことである。

わが国の多数説が、ドイツ民法の通説にならつていることは注意を要する。判例もまた従来、多数説とともに歩んできた。

二　法定責任説

この立場に立つている多数説および判例は、債権者に受領義務のないことを根拠としている。鳩山（履行ヲ受クルハ債権者ノ権利ナリ而シテ権利ヲ行使スルコトハ特別ノ規定ナクバ之ヲ権利者ノ義務トナスベカラザルガ故ナリ、日本債権法（総論）一四七頁）・柚木（慣習上或は当事者の意思表示によつて受領乃至引取義務を負う場合に受領しないときは、債務不履行となることというまでもないが、その他においては債権者は給付を受領する権利を有するもその義務を負うものではなく、従つてこれを受領せずとも債務不履行となるものでない、判例債権法総論上一七三頁）・於保（権利絶対思想の上に立つ民法の体系の下においては、債権者の受領義務は、慣習または特約に基く場合のほかは、一般には認めえない、債権総論一〇八頁）等の各氏がそれである。「受領義務はないから、債務者の弁済の提供があつたとしても、債務不履行となるわけではない、したがつて、民四一三条の責任は、民法がとくに信義則にもとづいて認めた法定責任である」とするのがこの立場の論者達に共通する主張である。まず鳩山博士は、「債務ノ履行ヲ受クルコトハ債権者ノ義務ニ非ザルガ故ニ債務者ニ於テ之ヲ強制スルコトヲ得ベカラズト雖モ、一面ニ於テ債務者ハ速カニ債務ヲ履行シ債務関係ヲ消滅セシムルニ付テ正当ナル利益ヲ有スルコトアリ。法律ハ此間ニ立チテ債権者債務者双方ノ利益ヲ調和スルガ為メニ受領遅滞トイヘル制度ヲ設ケタルナリ。故ニ受領遅滞ハ履行遅滞ト異リ、義務違反ヲ要素トスル法律事実ニアラズ」（前掲書一四八頁、なお「債権法における信義誠実の原則」（債権者の遅滞）九七—一一四頁参照）と主張される。また柚木教授は、「ただ、債務者が自己の側においてなすべきすべての行為を完了するにも拘らず、ただ債権者の協力なきがためにのみ弁済を果しえない状態にあるときは、履行遅延の不利益はすべてこれを債権者に負担せしめるのを至当としよう。これが即ち受領遅滞の制度なのである」（前掲書一七三頁）とされ、於保教授は単に、「受領遅滞責任は信義則に基く法定責任である」（前掲書一〇八頁）と説いておられる。その論旨はドイツの学者が説くところに類似している。たとえばラレンツは、「給付義務の履行は、まさに債権者の容態（Verhalten）によつてもまた遅延せしめられ、あるいはさらに不能ならしめられることがありうる。……債務者は債権者の容態のみによつて齎された履行遅延の責任を負うべきではないから、これに履行遅滞の効果を帰せしめるわけにはいかない。債務者はなるほど、それ以後も、債務の履行が可能な限り給付の義務を負うている。しかしながら、債務者がそれ以後においても、それまでと同様に注意深く、自己の怠慢について責任を負わされ、債権者の容態によつて惹起された増加費用についても負担させられることは衡平ではないと考えられる。したがつて法律は、債権者遅滞に対しては債権者に損害賠償義務を負わせはしないが——なぜなら法律はそれを義務違反とはみていないから——債務者に若干の責任軽減を認めるのである」と述べており（Larenz, a. a. O. S. 231.）、他の学者の説くところも大差はない。

さて、判例であるが、最近に至るまで一貫してこの立場に立つていたことについては先に一言した。大審院判例として、おそらく最初のものと考えられるのは次のケースである。

【1】　被上告人X（売主）および上告人Y（買主）間に天津綿の売買契約成立し目的物が予定通り入荷したので、X（控訴人）は再三Yへその引取方を求めたが、Yは契約に違反し売買物件のうち一五〇本の引取および代金支払を拒んだ。XはYにおいて履行の意思がないものと認め、当時の時価にて訴外Aへ売却したため、XはYとの売買代金との値違金八四六円の損害を被つたので、これを損害賠償として請求したのが本件の概要。原審はXの主張を容れたが、大審院は、

「仍テ原判文ヲ閲スルニ原院ハ……Xハ最早Yニ履行ノ意ナキヲ看取シ明治四十四年十二月十日該綿ヲ低落シタル当時ノ時価ニテ他ヘ売却シタル為メ約定ノ代金ト他ヘ売却シタル代価トノ差額ニ相当スル損害ヲ被リタリト認定シ其差額ハ即チYノ債務不履行ニ因ル損害ニ外ナラストシ之カ支払ヲ損害賠償トシテYニ命シタルモノナリ然レトモ売買契約ノ解除セラレサル限リハ仮令買主カ契約ニ違背シテ目的物ヲ引取ラサルモ売主ハ約定ノ代金ヲ請求スルコトヲ得ルヤ言ヲ俟タス従テ其目的物ノ時価カ低落シタレハトテ売主カ約定ノ代金ト低落シタル時価トノ差額ヲ損失スルコトナキヲ以テ買主ニ対シ其差額ヲ損害賠償トシテ請求シ得ヘキ理由アルコトナシ」（大判大正一一・一二・一一民録一八・一〇二五）。

判旨は、契約を解除しない限りは相手方に対し約定代金の請求ができるから、時価低落による損害はありえないといっている。しかもその前提には、判旨から推論すると、契約を解除するなら相手方の債権者遅滞ではなく、債務不履行を理由とせよ、という含みがあるようである。債務不履行を理由として解除した場合は格別、債権者遅滞自体にもとづいて損害賠償請求はできるはずがない、といっているのであるから、この判決が法定責任説に立っていることは明らかである。ただ、判旨は簡略に過ぎて、四一三条の「遅滞ノ責ニ任ス」の内容について、あるいはまた、その根拠について明示するところはなかった。その点では、次の判例がかかる立場を明確にし、債権者遅滞が債務不履行でないことをはっきりと打出したものとして意義を認められている。

【2】 上告理由第一点は、「甲一号証第六条ニ被上告人Yハ毎月座椅子五百箇以上ヲ上告人Xヨリ買入レ毎月十五日及月末ノ両度ニ代金ヲ支払フヘキ約定アルモ同証ニハ代金不支払ノ時ニ於ケル制裁ヲ定メナカラ受領拒絶ノ場合ニ於ケル責任ノ定ナキ事及Xノ義務トシテ随意ニ毎月五百箇以上ヲ製造スルコトヲ得ス又物品ヲ第三者ニ売ル事ヲ得ス違約ノ節ハ損害賠償ノ責任ノ契約アル点ヨリ推考シテXハ製造物件全部ヲYニ供給ス可キ義務アルカ故ニYハ其買入物ヲ受領ス可キ義務ナシトセラレタリ然レトモ凡ソ売買契約ヲ為シ売主ニ於テ物件ヲ提供シタル時買主之ヲ引取ル可キハ売買契約ノ本質ニシテ特ニ反対ノ契約アル場合ノ外ハ之ヲ引取ラサル時ハ違約ノ責アル事自明ノ法理ナリ然ルニ原院ハ拒絶ノ場合ニ於ケル制裁ノ規定ナキ云云ヲ以テ之ヲ受領ス可キ義務ナシトシ上告人ノ請求ヲ棄却セラレタルハ売買ノ本義ヲ誤解シ民法ニ違背シタル不法ノ判決ナリ」といい、同第四点は、「原判決ハ「仮リニX代理人主張ノ如クYニ於テXノ提供セル本件物品ノ引取ヲ拒絶セル事実アリトスルモ之レ唯自己ノ権利ノ不行使換言スレハ債権者ノ遅滞ニ因ル責任問題ヲ生スルニ止マリYハ之カ為メニ本契約ニ関シ債務不履行ノ責任ヲ負担スヘキモノト解シ得サルヤ言ヲ俟タス」ト説明スルモ上告第三点ニ

論スルカ如ク原判決ニ於テ当事者間ニ本件衛生座椅子ノ売買契約アリタルコトヲ既定ノ事実トスル以上ハYハ売買法ノ原則ニ従ヒ本件衛生座椅子ヲ引取ルヘキ義務ニ任シ之カ引取ヲ拒絶スヘキ権利ヲ有セス随テYニ於テXノ提供セル本件物品ノ引取ヲ拒絶セル事実アルトキハXハYノ債務不履行ヲ原因トシ契約ノ解除ヲ為スコトヲ得ルニ拘ハラス原判決カ前顕ノ如ク本件物品ノ引取ヲ拒絶スルハYノ権利ナリト説明セルハ売買ノ効力ニ反シ法則ヲ不当ニ適用シタル不法アルモノトス」というにあつたが、大審院は上告論旨を却け原審判決を是認した。

「然レトモ売買ニ於テ買主ハ其目的物ヲ受領スヘキ権利ヲ有スルモ之ヲ受領スヘキ義務ヲ負担スルモノニ非ス随テ買主カ売買ノ目的物ノ受領ヲ拒絶シタリトセハ是レ権利ノ不行使ニシテ受領遅滞ノ責ヲ負フモ債務ノ不履行ニアラス売主ハ之ヲ理由トシテ売買ヲ解除シ得可カラス然レハ原院カ本訴当事者間ニ売買契約ノ成立シタルコトヲ認メナカラ買主タルYニ於テ売主タルXニ対シ其目的物ヲ受領スヘキ義務ヲ負担セルモノト為サス又Yニ於テXノ提供セル本件物品ノ引取ヲ拒絶セル事実アリトスルモYハ之カ為メニ債務不履行ノ責任ヲ負担セサルモノト為シタルハ如上ノ理由ニ依リ相当ニシテ本論旨ハ孰レモ理由ナシ」（大判大正四・五・二九民録二一・八五八）。

右【2】の事件と時を同うして同趣旨の論旨を展開した下級審判例として、次のものがある。

【3】　生地製造販売商たる控訴人Yは被控訴人X紡績会社より綿糸三〇〇梱を買受ける契約をなし、受渡期限大正三年二月より八月まで、代金は受渡済の分について順次毎月十日、二十日、月末を期として支払を為すべき定めであつた。ところが右のうち約五〇梱については、Yにおいて受渡期限たる大正三年八月を過ぎたるもその引取および代金の支払をなさないので引取を催告（五日内に引取および代金の支払をなすべきこと、期間内に引取らないときは契約を解除し、時価低落による損害賠償を請求すべき旨の）したが、遂に引取らないので、受取未了の分に対する約定代金と時価との差額二二〇〇円弱の賠償を請求したのが本件の起りである。

「X代理人ハ買主タルYニ売買ノ目的タル綿糸ノ引取ヲ為ス義務アル如ク主張スレトモ売買契約ニ於テ目的

物ノ引渡ヲ受クルコトハ買主ノ権利ニシテ其義務ニアラサルカ故ニ売買ノ目的タル綿糸ノ受渡ニ関シ当事者間ニ別段ノ特約アリシ事実ヲ認ムヘカラサル本件ニ於テハ仮令買主タルYニ於テX会社ノ請求ニ応シ其引取ヲ為ササリシニセヨ之ヲ以テ債務ノ不履行アリト為スニ足ラサルハ勿論ナルノミナラス若シ買主タルYカ相手方ノ正常ナル履行ノ提供アリタルニ拘ラス其ノ受領ヲ為ササルトキハ債権者ノ受領遅滞ヲ生シ相手方タル売主ハ爾後債務ノ不履行ニ因リ生スヘキ一切ノ責任ヲ免カレ且ツ一定ノ場合ニ買主ノ協力ナクシテ（供託若クハ自助売却ニ因リ）債務ヲ免カルルコトヲ得ルニ至ルヘシト雖之カ為メニ買主タルYニX代理人ノ主張スル如キ損害賠償ノ義務ヲ生スルモノト解セシムルヲ得ス何トナレハ債権者ノ受領遅滞ハ契約解除ノ正当ナル原因タラサルヤ言ヲ俟タサルト同時ニ買主タルYニ於テ目的物ノ引取ヲ為ササル一事ハX会社ノ有スル代金請求権ニ何等ノ影響ヲモ及ホスモノニアラサルヲ以テ目的物ノ時価カ低落シタレハトテ売主タルX会社ハ約定代金ト低落シタル時価トノ差額ヲ損失スル理由アルヘカラサレハナリ尤モX代理人ハ本件売買契約ハYノ代金支払義務ノ不履行ヲモ其理由トシテ解除シタルモノナリト云フニ在ルヲ以テ果シテ其主張ノ如クナランニハ当事者間ノ売買ハ此点ニ於テ適法ニ解除セラレタルモノト謂フ可ク其結果X会社ハ契約ニ基ク代金ノ支払ヲ受クル権利ヲ有セサルニ至ルニ拘ラス其回復セラルル目的物ノ時価ニシテ低落シタルトキハ結局約定代金ト低落シタル時価トノ差額ヲ損失セサルヘカラサル筋合ナリト雖若シYニ於テ代金ノ支払義務ヲ完全ニ履行シタランニハ相手方タルX会社ニ斯ル損失ヲ生セシムルコトナカルヘキハ明白ナルノミナラスXニ於テ既ニ目的物ノ引渡ヲ受ケタル場合ニ在リテモ同一事情ノ下ニ契約ノ解除セラレタル時ハX会社ニ亦同様ノ損失ヲ被ムルヘキノ理ハ睹易キ所ナルカ故ニ其損失ハ要スルニYノ代金支払義務ノ不履行ニ基因スルモノニ外ナラスシテ目的物ノ受領遅滞ニ因リテ生セシメタル損失ヲ以テ目スルヲ得サルヤ多言ヲ要セス然レハX会社ハ代金支払ノ義務不履行ヲ理由トシ其受ケタル損害ノ賠償（但其損害賠償ノ額ハ民法第四九一条第一項ニ従ヒ法定利率又ハ約定利率ニ依リ之ヲ定ムヘキモノナルカ故ニ売主タルX会社ハ実際ノ損害如何ニ拘ラス右利率ニ相当スル賠償額ノ外請求スルヲ得ス）ヲ求ムルハ格別Yカ売買ノ目的タル綿糸ノ引取ヲ為ササルカ為メニX会社ハ代金ト低落シタル時価ノ差額ニ相当ス

ル損害ヲ受ケタリトシテ其賠償ヲ求ムル本訴ハ既ニ此点ニ於テ排斥ヲ免レサル」ものである（大阪控判大正四・六・二二新聞一〇二五・二三）。同趣旨の判例として、次のようなものもある。同様に下級審判例であるが、【1】以降の大審院判例の立場に立つてきわめて卒直に判示を述べている点が注目される。

【4】　訴外A（売主）被告Y（買主）間に小麦五八石の売買契約が成立し、現物は吹田駅において代金引換えに引渡すべき約定であったが、Yにおいて期日に目的物件を引取らないので、再び期日を指定し吹田駅において代金引換えに小麦全部を引取るべく、もし引取らないときは契約を解除するとの催告をなした。しかしYは結局引取らないので、Aは約定価格と低落した現在価格との差額を損害賠償請求するというもので、原告Xは右債権の譲渡を受けているので本訴請求に及んだという事件。

「先ツAカYニ対シX主張ノ如キ損害賠償ノ請求権ヲ有シタリヤ否ヤヲ案スルニ凡テ売買契約ニ於テ目的物ノ引取ヲ為スコトハ買主ノ権利ニシテ其ノ義務ニアラサルカ故ニ其目的物ノ受渡ニ関シ当事者間ニ別段ノ特約アリシ事実ヲ認ムヘカラサル本件ニ於テハ仮令買主タルYニ於テ相手方ノ正当ナル履行ノ提供アリタルニ拘ラス其引取ヲ為ササリシ事実アリトスルモ受領遅滞ノ責ヲ負フニ止マリ債務不履行ノ責ナキヲ以テ売主ハ之ヲ理由トシテ売買ヲ解除シ得ヘカラス従テ売主タルAハYニ対シ依然トシテ約定代金ノ請求権ヲ保有スヘキカ故ニ目的物ノ時価カ低落シタリトスルモ其金額ト約定代金額トノ差額ヲ損失スルノ理ナキヤ言ヲ俟タ」ざるをもつて請求は失当である（大阪区判大正八・五・二〇新聞一五五七・二二）。

三　債務不履行説

これら、従来の通説に対し、最近の有力説は、債権者に受領義務を認めその責にもとづく不受領は債務不履行となるとする（我妻・総論一二八頁、末弘・総論一七七頁、片山「受領遅滞」民法演習Ⅲ、加藤・民法教室債権二七三頁、吾妻・債権法八三頁など）。すなわち、この立場では、債権は単に債権者に給付を請求しこれを受領する権能を与え債務者にこれを給付すべき義務を課する関係として孤立するものではなく、当該債権を発生せしめる社会的目的の達成を共同の目的とする当事者間の一個の法律関係＝債権関係の一内容として存在するものと考え、両当事者は信義則の要求するところに従つて給付の実現に協力すべきものである、との前提に立つている（我妻・総論六頁以下、一二八頁以下）。したがつて、履行について債権者の協力を必要としない債務（不作為債務・意思表示をなす債務・受任者の債務など）の場合を除いて、債権者に不受領または不協力があれば、あたかも債務者が債務の本旨に従つた履行をしないことが債務不履行となるのと同様な意味において、一種の債務不履行となるとするのである。その法律効果も、当然のことながら前説よりもはるかに広く、債権者遅滞にもとづいて直接に損害賠償請求権および解除権を認める。そして、このように解することは、債権者遅滞の規定を債務不履行の規定中に置き他になんらの特別規定（法律効果に関して）を設けていない民法の構成に適するし、さらに、ドイツ民法と異なつて売買・請負についても受領義務を明定しないわが民法の理論として秀れているという（我妻・末弘など前掲書参照）。

たしかに、わが国の従来の通説は、ドイツの学説に影響されるあまり、ドイツ民法が一般的に受領義務を認めていないことにのみ注目し、物の引渡を目的とする債務については重要な例外措置（四三三条・六四〇条）を講じている点を軽視した嫌いがあつたといえよう。これら、最近の有力な主張に影響されてか、近時の下級審判決の中には、判例の伝統に抗して債務不履行説をとるものが現れるに至つた。

【5】　原告X（雑穀類芋類の売買業者）と被告Y会社（雑穀類等の売買輸出入業者）との間に、Xを売主、Yを買主とする工業用甘藷十二貫入二万五千俵（一俵三一五円の売値）の売買契約が成立したので、Xは右契約を履行するため他より買入れ引渡し準備を整えた上で、Yに対し納入場所を指定するよう再三書面によつて

求めたが、Yはその指定をしなかつた。そこでXは、一週間以内に引取るよう催告したが、Yは遂に受領しなかつたので、Xは受領遅滞を理由として右売買契約を解除し、よつて生じた得べかりし利益の喪失に対する損害七十九万円の賠償を求めたのがこの事件の概要。

「Xが昭和二十七年十一月三日付四日到達の書面を以て被告に対し甘藷を引渡す準備をととのえた旨を通知してその引渡先を指定すべきことを要求したことは、当事者間に争がない。そして成立に争いない……の各証言と、X本人尋問の結果を併せ考えると、前記N会社は通商産業省のアルコール工場への入札に成功せず、そのためYは甘藷の転売先を失つたのでXの甘藷引渡先指定の前記要求に応ぜず、同年十二月二日になされた、一週間内に甘藷を引取るべき旨のXの催告にも応じなかつたこと、そこでXは同月二十一日Yに対しYの受領遅滞を理由として本件売買契約を解除する旨の意思表示を発し、この意思表示は翌二十二日Yに到達したことが認められる。そこで右の契約解除はその理由があるかどうかについて考えるに、Yは本件売買の目的物を受領するとしないとは買主たるYの権利であつて義務ではないと主張している。しかし契約により債権債務関係を結んだ当事者は、信義誠実の原則の要求するところにしたがつて相互に給付の実現に協力すべき義務を負うものと解すべきである。給付が債務者の行為のみにより完了する場合は格別、債権者の協力なしでは完了し得ない場合には（而も債権者の協力行為を全く要せずに給付が完了し得る場合はむしろ稀である）、この協力によつて給付の実現をはかることは債権者の法律上の義務であるといわなければならない。本件において売主たるXが甘藷の引渡義務を果すためには、買主たるYにおいてその引渡先を指定することが必要なことは前示認定の経緯から明かである。したがつて、Xが前示の如く履行の準備をととのえた旨を通知して口頭による提供をした以上、Yはすみやかにその引渡先を指定してXの履行を可能ならしめることをはかるべき法律上の義務があるといわねばならない。しからば、前示のように、YがXの再三の要求にもかかわらず遂に引渡先の指定をなさず、Xの履行の提供を拒んだことは、それがYの責に帰すべからざる事由に基くものでない限り、右の義務に違反するものであつて、YはXに対し債務不履行の責任を負うものと認めるべきである。そして本件におけるYの受領拒絶がその責に帰し得ない事由によるものである旨の主張も立証もない（Yが前示のように甘藷の転売先を失つたという一事だけでは右のような事由を認めるには足りない）以上YはXの約旨に従つた提供を拒絶することによつて買主としての受領義務を遅滞したものと認めるほかなく、この受領遅滞はXにおいて相当の期間を定めて受領を催告した上本件売買契約を解除する理由となり得ると解すべきである。よつて前記Xの解除の意思表示の到達により本件売買契約は解除されたものと認めなければならない。

そこでYは右の受領義務遅滞によりXの蒙つた損害を賠償する義務を負うものと認めるべきであるが、次にその額について検討する。……Xは前記契約解除により右の代金債権（約旨の単価による七、八七五、〇〇〇円）を失つたが、一方前記の七百八万五千円で買入れた甘藷の引渡義務を免れたから、以上を差引いた七十九万円がYの受領義務遅滞によりXの蒙つた損害の額であると認められる」（東京地判昭三〇・四・一九下級民集六・七六六、判時五四・一六、津曲・判例評論二号評釈）。

【6】「被控訴人Xが昭和三十年四月二十日控訴人YおよびAに対し、本件家屋を代金三十万円、支払期日同年六月三十日として売却し、従前から本件家屋に居住していたYがその引渡を受け使用する約定であつたため、即日これをYに簡易引渡により引渡し、Yが居住していること、Y等は支払期日に右代金の支払をしないのでXは同年七月十二日……YとAに対し、五日以内に右代金を支払うよう催告し、右期限内に支払わないときは売買契約を解除する旨の意思表示をしたのに、Y等は右期間を徒過したことは当事者間に争いがない。

Yは右契約解除の通知到達前に、Xに対し、右代金全額を提供したが、Xは受領を拒絶して受領遅滞となつた以上、それ以後は全くYは履行遅滞とはならないから、XがYに対しその後になした履行の催告によつても履行遅滞とならず、従つて、条件付契約解除の意思表示は効果を発生しない旨のY主張について判断する。一般に、売買契約においては、信義則上、売主は買主に対し、代金請求権を有する反面、それを実現させるため、代金を受領すべき債務を負うので、売主が買主からなされた本旨に沿う代金の提供を売主の故意過失により拒絶すると、売主は右の意味で代金受領債務の履行遅滞となる（然し、そのために代金支払期限が当然に延期されるわけではなく、ただ、そのままでは期限の到来に伴う諸効果が発生しないのに止まる）。従つて、その後売主が買主に対し、代金支払を催告し、且つ、買主に右の意味での売主の代金受領債務履行遅滞から生じた損害があれば、その損害賠償金を同時に提供すれば、債権者たる売主は受領遅滞を積極的に終了させることができる、と解される」（東京地判昭三四・一・二二判時一八四・二三）。

これら下級審判決が、最高裁判例にいかなる影響を与えるかは、今後注目されるところである。

四　信義則上の受領義務を認める説

第三に、債権者には法律上の受領義務はないが、信義則によつて、債権者に協力義務を認めようとする立場がある。すなわち、債権の態様・種類・性格などの相違によつて、受領義務の認定に当りある程度の区別をしようとするのである。したがつて、「売買とか請負のような場合には、信義則に照してみて、多くの場合、債権者に受領義務があるだろうが、贈与などの場合には、かかる義務はないし、また、雇傭の場合にもかかる義務を認められない場合が生ずるであろう。信義則に照してみて、受領義務が認められる場合には、民法は社会生活関係から派生する法規範であるから、受領遅滞は、かかる社会生活関係を規律する法律上の義務違反となり、従つて債務不履行となる」（津曲「受領遅滞は債権者の債務不履行となるか」判評二・一六）というわけである。信義則によつて受領義務が認められる限り債務不履行の成立を肯定するわけであるから、第二説に近い。ただ、一般的に、一律に、債権者に法律上の受領義務があるとまでは解しない点において、特徴的である。そして、その主張の根拠は、債権の相違にもとづいて、信義則に照して受領義務の存否を判定する方がより妥当だということにある。

このような主張をされる津曲教授は、雇傭契約上の債権についての配慮があるようである。すなわち、「労使関係の調整のためには債権者の法律上の受領義務を強く提唱しないで、弾力性を持たせる方がよいという理由から、債権者の受領遅滞について法律上の義務を強調する立場には賛同し難いのである」といわれている。また、信義則上の受領義務を認める根拠については、「信義則は社会生活における倫理的規範である。民法一条二項はそれを法的規範に昇華している。債権者に、そういう意味での法律上の受領義務があるということは認められるが、債権者には、債務者の給付義務と同じような意味での法律上の受領義務は存在しない。……受領は法律上の権利であつても義務ではない。……しかし、債権・債務関係をスムースに完了させるためには、債権者の協力を必要とするから、債権者には、信義則上のそういう義務があるものと解してよい」（総論上一三八）と考えられている。結局この説は、受領義務の存在しない場合をある程度（いわば例外的に）認めようというに過ぎず、受領義務が認められる普通の場合の法律効果については、大体債務不履行説に従うものと考えられるから（ただし、債務不履行説がほぼ一致して認める解除権の発生を否認する、総論上一四二頁）、広い意味での債務不履行説の立場に立つものとみることができよう。

二　債権者遅滞の要件

一　序　説

債権者遅滞の要件はその本質に関する見解の相違によつて異なる。判例および従来の通説に従えば、債権者には受領義務が存しないから、債権者遅滞は民法第四一三条の規定にもとづく債権者の法定責任ということになり、主観的要件を必要としない。したがつて、(イ)債務の本旨に従つた履行（弁済）

の提供がなされたこと、(ロ)債権者が履行の提供を受領することを拒み、または受領することができないこと、の二要件をもつて足りる。これに反し、近時の債務不履行説によれば、これらの要件のほかに、(ハ)債権者の受領拒否または受領不能がその責に帰すべき事由にもとづくこと、の要件が加えられることになる。

なお、学者によつては、債権の性質上履行をなすがために債権者の協力を要すること、および、債務の履行が可能なること、の二要件をあげるものがあるが（鳩山・債権法における信義誠実の原則一二七頁以下参照）、前者は問題の性質上当然の前提条件であり格別論ずるまでもないことである。後者は履行可能を前提としてのみ受領不能を認めようとする学説に特有な要件であるが、(ロ)の要件を検討する際にこれに論及することとする。

二　債務の本旨に従つた履行（弁済）の提供がなされたこと

（一）　債権の内容たる給付には、不作為給付のように、債務者の行為のみによつて完了しうるものもあるが、多くの給付は債権者の協力なしには完了しえない。債権者の供給する材料を使用して物を製作するような債務の場合はその典型であるが、不動産・動産の引渡債務や金銭債務のような場合にも、協力の程度に差異はあるとしても、同様に債権者の協力を必要とする。このような場合、債務者はまず自らなしうるだけの履行の準備をした上で、債権者の協力を求めるべきである。これが履行の提供（弁済の提供）である。弁済の提供は、当然のことながら、債務の本旨に従つて（民四九三条）なすことを要する。しかして、提供が債務の本旨に従つたものであるか否かを決する基準は、結局信義則によるほかない。ただ民法は、弁済の目的物および場所などについて補充規定を設けているから（四八三条・四七五条—

(四七七条・四八四条・四八五条)、これらの規定もその判断基準となる。

また、提供の程度について民法は二つの基準を定める。すなわち、現実の提供(事実上の提供)と口頭の提供(言語上の提供)がそれである。債務者は原則として現実の提供をなすべきであり、例外的に、債権者が予め受領を拒否し、または債務の履行につき債権者の協力行為(受領行為以外の)を必要とするときだけ、弁済の準備をなしたことを通知してその受領を催告する、いわゆる口頭の提供で足りるとされている(四九三条)。しかしながら、この二種の提供は抽象的には右のように区別しえても、結局は、債権者の協力の程度と相関的に判断すべきものであるから、程度の差以上に出るものではない(これらの問題点については、長谷部・弁済の提供(本判例研究叢書民法(2))六頁以下、我妻・総論一二二頁以下、於保・総論三三七頁以下など参照)。ところで、債権者の協力を要する場合において、債務者の口頭の提供に応じて債権者が協力をなしたときは、債務者は改めて現実の提供をしなければ提供があつたとはいえない。ただ、債権者が協力をしなかつたときは、口頭の提供だけで提供の効果を生ずること、予め受領を拒んだ場合と同様である。この法理は次の判例の明示するところである。

【7】「債権者カ予メ受領ヲ拒ミタル場合ニ於テハ債務者ハ債権者カ前意ヲ翻シ受領セムト云ハハ直チニ履行ヲ完了シ得ル丈ニ準備ヲ整フルト共ニ一面ニハ債権者ニ対シ其旨ヲ通知シテ其受領ヲ催告スルヲ以テ足ル(民法第四九三条但書前段)蓋斯カル場合ニ於テモ尚且現実ノ提供ヲ為ササル可カラストスルハ余リニ形式ニ流ルルモノナレハナリ而シテ此際債権者ニ於テ此催告ニ応セサルトキハ玆ニ提供ハ其効力ヲ生シ其時ヨリ不履行ニ因リテ生スル一切ノ責任ヲ免レシムルモノトス若又債権者ノ為スヘキ協力ハ受領以外ノ或行為ナル場合ニハ債務者ハ債権者カ此行為ヲ為シ呉ルルトキハ自己ニ於テハ之ニ基キ進ミテ履行ノ完了ニ到達スルヲ得ヘキ丈ノ準備ヲ整フルト共ニ一面債権者ニ対シ右ノ行為ヲ為スヘキコトヲ催告スルヲ以テ足ル(民法第四九三条但書

後段）蓋債権者ニシテ所要ノ行為ヲ為シ呉レサル限リ債務者トシテハ此以上ニ履行ノ完了ニ接近シ得ルノ途無ケレハナリ而シテ此際債権者カ此催告ニ応セサルトキハ玆ニ提供ハ其効力ヲ生シ其時ヨリ不履行ニ因リテ生スヘキ一切ノ責任ヲ免レシムルモノトス然ルニ反之債権者カ催告ニ応シ其為スヘキ協力ヲ為シタルトキハ如何ト云フニ……若シ債権者カ受領シ呉ルルニ非サレハ履行ヲ完了スルヲ得サル場合ナラハ債務者ハ進ンテ更ニ現実ノ提供ヲ為ササル可カラス曩ニ一度言語上ノ提供ヲ為シアルヲ以テ既ニ十分ナリト称シ晏如トシテ何事ヲモ為ササルトキハ債務者ハ未タ以テ不履行ヨリ生スル一切ノ責任ヲ免ルルニ由無キモノトス蓋右ノ如ク債権者カ催告ニ応シ所要ノ協力ヲ為シタル結果今ハ唯債権者ニシテ履行ヲ受領シ呉ルルトキハ履行ノ完了ヲ見ルニ至ルト云フ状態ニ達シタルモノナルヲ以テ此点ハ恰モ債務ノ性質上始メヨリ受領ト云フコトカ債権者ノ為ス可キ唯一ノ協力ナリシ場合ト何等択フ所無キ有様ニ立至リタルモノナリ而モ此後ノ場合ニ於テハ現実ノ提供ヲ為スニ非サレハ債務者ハ未タ以テ不履行ヨリ生スル責任ヲ免ルルヲ得サルハ論無キ以上偶曩ニ債権者ハ其為スヘキ或協力ヲ為サス催告ニ依リテ纔ニ之ヲ為シタリトノ故ヲ以テ其取扱ヲ異ニシ更ニ現実提供ヲ為スノ要無シト解ス可キ何等ノ理由ヲモ発見スルヲ得サレハナリ」（大判大一〇・七・八民録二七・一四四九、評釈、我妻・判民一二四事件）。

（二）　現実の提供　給付の受領ということが債権者のなすべき唯一の協力である場合には（前掲【7】参照）、債務者は現実の提供をなす必要がある。現実の提供とは、債権者が給付を受領する以外になんら協力を必要としない程度に提供することであるが、いかなる場合に現実の提供があつたとみるべきかは、結局のところ、「取引ノ通念並実験則ヲ参酌シテ之ヲ判断スヘキモノ」（大判昭五・四・七民集九・三二七）であるが、判例は具体的には次のように解している。

(1)　弁済の期日および場所が予め定まつているときは、債務者は弁済の準備をして所定の日時および場所に出向けば現実の提供があつたものというべく、債権者が不在であつたり、来会しなかつたとしても問題とならない。たとえば、債務者が目的物を携えて弁済の場所に出向いたが債権者が不在であつた場合（大判明三八・三・一一民録一一・三四九）、債務者が履行期日に代金を携帯して履行の場所に出頭し、終日債権者の到来を待つたが来会しなかつた場合（大判大七・八・六民録二四・一六六一）、不動産売買において、所轄登記所にて売買代金を授受すべき約定のあつたとき、履行期日に売主が登記をなす目的で登記所に出頭した場合（大判大七・八・一四民録二四・一六五〇）など、いずれも現実の提供をなしたものというべきであり、別に口頭の提供を必要としない。

これに反して、弁済期についての約定がなく、したがつて何時提供があるかが債権者に明らかでないときは、提供の際に債権者が不在であれば、改めて口頭の提供を要するものと解すべきである（柚木・総論下二一五頁、なお長谷部・弁済の提供一一はかかる場合の通知は信義則上要求される特別の通知であるとし、債務者は予め履行の期日を通知した上現実の提供をすべきが当然と主張する。しかし、受領日を何時にするかは債権者の都合もあることであるから、債務者としては「弁済ノ準備ヲ為シタルコトヲ通知シテ其受領ヲ催告スルヲ以テ足ル」（口頭の提供）のではないか。もつとも、債務者の通知と債権者の期日の指定との間には信義則にもとづいた協力関係が要請されるから、いずれと解しても大差はない）。弁済期を期間をもつて定めた場合（たとえば、何月何日以降一週間以内）にもこれと同様のことが考えられる。ただし、これには期間の長短がものをいうし、取引の通念上少くとも期間の末日には債権者は受領の準備を必要とすると解される場合が多い（柚木・前掲二一五頁、長谷部・前掲一一頁）。判例はかつて、二十数日間の催告期間をもつて登記手続をなすべき旨催告したケースにおいて、催告の意味が、期間の末日には催告者も登記所に出頭するから債務者も同日同所に来会して登記手続をなすべしという趣旨であるか、あるいはまた、催告期間内催告者もしくは代理人は毎日登記所に出頭する、またそうでなくても、相当の手配を講じてあるから債務者さえ出頭すればいつでも登記手続は完了することができるという趣旨であれば問題はないが、該事案はそのいずれでもないとして、次のように判示した。

【8】「債権者ニ於テ単ニ弁済ヲ受領スルコトニ依リテ以テ履行ノ完了ヲ見ル場合ハ債権者ハ唯拱手シテ債務者ノ来リテ弁済ヲ為スヲ待ツノミニテ足ルカ故ニ何日間ニ履行ス可シト云フ単純ナル催告モ亦有効ナルヲ失ハスト雖モ債権者ニ於テ受領以上ノ或行為ヲ為スニ依リテ始メテ履行ノ完了ヲ見ル場合ニ在リテハ債権者ハ宜ク当該行為ヲ為ス可キ日時場所等ヲ債務者ニ示シテ其ノ履行ヲ催告シ以テ債務者ニ於テ之ニ応シテ其ノ義務タル給付ヲ為シ得ルノ素地ヲ作リ置カサル可カラサルハ蓋論ヲ須ヒサレハナリ」(大判昭五・四・一九新聞三一八四・一六)。

この判旨に対しては、債務者には登記日を債権者と協定する義務はないとしても、債務者はすでに履行遅滞にあるはずであり、催告の妥当でないことを理由に全く登記所に出頭しないでよいとする根拠はないとの批判があつた(長谷部・前掲一二一三頁)。最近になつて、最高裁は新判例を出して批判に応えた。

【9】上告人Yは昭和二〇年八月上旬から所有者X(被上告人)に無断でその所有にかかる宅地を占拠し、その地上に建物を建造してこれに居住している。昭和二五年六月一二日XY間に代金一〇万円で右土地の売買契約が成立し、同時に内払金二万円の支払を了し、残金は同月末日所有権移転登記と引替に支払う旨の約束がなされた。ところがYは支払延期を求めてその約束を果さないので、XはYに対し昭和二六年八月二三日内容証明郵便をもつて残代金支払の催告をなし(支払期限は八月末日)、ついで九月一日さらに内容証明郵便をもつて契約解除の意思表示をなした。その間Yは、支払期限である八月三一日に支払のため広島法務局に出頭したが(支払金を携行する融資者を帯同の上)、Xは来会しなかつたので、Yに履行遅滞の責はないと抗弁する。一、二審ともに、Xの解除の意思表示を有効とした上で建物収去および土地明渡の請求を相当としたが、その理由とするところは、Yの行為が債務の本旨に従つた履行の提供として有効であるためには、履行の日時が予め当事者間において確定されている場合を除き、履行の提供に先立ちその日時を予め相手方に通知すべきものと解されるが、本件の場合、八月三一日を履行日と指定した趣旨とは認められないというにあつた。最高裁はこれを退けて、

「然しながら、右のように債権者が債務者に対し、相当の期間をおいて、登記手続と引換に残代金支払義務の履行を求めたときは、債権者は債務者から改めて、履行の日時の通告があると否とに拘らず、少くとも右期間の最終日には当該登記所に赴き、その執務時間中、債務者の出向するを待ち代金受領とともにその登記に協力すべき責あるものと解するを相当とするところ、原判決の事実によれば、Yは前示催告の最終日に当該登記所に出頭したにかかわらず、Xは同日同所に出向しなかつたというのであるから、Xは債権者としてYの履行に協力しなかつたものと認むるの外なく、従つてXは、受領遅滞に陥るとともに、Yは履行遅滞の責を免れたものといわざるを得ない。さすれば、前示催告に基づく解除を理由とする本訴請求は失当に帰するからこれを是認した原判決は、他の論旨について判断を与えるまでもなく、破棄を免れない」（最判昭三二・六・二七民集一一・六・一一五四、評釈、於保・民商三六・六）。

判旨の結論は、もとより妥当だと思う。しかし、この判決でも、債務者が催告期間の末日より以前に弁済の提供をしたとき、これを有効とするかどうか、および債権者はこれによつて受領遅滞に陥るか否か、については何ら示すところがない。思うに、そのようなときに債務者が提供したとしても、債務者に責むべき理由があるとはいえないから（提供の日時を予め通知して債権者の了解を得るなり、協議の上提供の日時を確定することがより妥当なことはいうまでもないが、日時を確定しなかつたことの不利益は債権者が負うべきものだから）、それによつて債務者は履行遅滞の責を免れるものと解すべきである。しかし、他方において債権者としても、提供の日時について通知を受けることがなかつたのであるから、受領できなかつたことに過失があるとまではいいえない（催告が適切でなかつたこととは別個の問題だから）。したがつて、債務者はこれを理由に債権者遅滞の責任を問いうるものではない。相手方に対して、履行遅滞または債権者遅滞の責任を問うためには、さらに積極的な行為（履行または受領の催告）を必要とするというべきである。この点、弁済期の定めのない場合と同様である。

(2)　金銭債務の弁済　この場合は原則として、「債務者ハ支払ヲ為スヘキ金銭ヲ履行ノ場所ニ持参シテ何時ニテモ之カ支払ヲ為シ得ヘキ準備ヲ為スコトヲ要スルモノ」(大判昭五・四・七民集九・三二七)であり、したがつて債務の一部額を提供することは、債権者の承諾がない限り現実の提供とはならない(大判明四四・一二・一六民録一七・八〇八、大判大六・三・七民録二三・三四二、大判大一二・五・二八民集二・四一三)。元本のほか利息および費用の支払を要するときは、債務者はその全額を提供しなければならないし(大判大四・一二・四民録二一・二〇〇四)、履行遅滞にある債務者は本来の債務と遅延賠償とを併せて提供しなければ債権者の解除権行使を阻止しえない(大判大八・一一・二七民録二五・二一三三)。しかしながら、提供金額に僅少の不足があるに過ぎないときは、これに藉口して弁済の提供を無効ならしめることがかえつて信義則に反する場合のあることを否定しえない。判例も、五二九円八銭のうち二円八銭不足した場合(大判大九・一二・一八民録二六・一九四七)、一万円中百円不足の場合(大判昭九・二・二六民集一三・三六六)、および、元利金に不足はないが誤算の結果競売手続費用に僅少額の不足があつた場合(大判昭一三・六・一一民集一七・一二四九)にこれを肯定している。学説もまた、これに賛成するものが多い。

また債務者は、金銭を準備携帯して債権者方に至り、その受領を催告すれば足り、債権者の目前に呈示することを必要としない(大判大一一・一一・二四民集一・六二九、最判昭二三・一二・一四民集二・四三八)。買主自ら金銭を携帯しなくても、金銭を持参する転買人を同道したときは、原則として現実の提供となる(大判昭五・四・七前掲)。

次に問題となるのは、金銭以外の支払手段をもつてした場合である。しかし、取引上通貨と同一視して取扱われているものについては、ほとんど異論をみない。たとえば、郵便為替または小為替の送付(大判大八・七・一五民録二五・一三三二)や、郵便振替貯金払込証書の送付(大判昭一九・三・六民集二三・一二一)は、現金の提供と実質的な差違はないと考えられている。また、債務者が債権者の同意を得て預金証書に預金の受領に必要な自己の印章を押捺して債権者に交付したときも、預金証書交付のときに提供があつたものとされている(大判大一五・九・三〇民集五・六九八、もつとも判旨は、双方の合意と現実に金銭を取得したこととをもつて条件としているもののようである)。これに反して、小切手の提供は特約または慣習がない限り現実の提供とならない。大審院以来、この点に関する判例は一貫しており(大判大八・八・二八民録二五・一五二九、大判昭三・一一・二八新聞二九四六・一一、最高裁になってからのものとしては、次に掲げる判例【10】がある)、銀行取組の送金小切手の場合も例外でないし(大判昭九・二・二二評二三・民三九二)、これを肯定するのは特約ある場合に限られている(大判大九・五・一五民録二六・六六九)。最高裁もこれを踏襲した。

【10】 上告人は上告理由の中で、小切手は金銭債務の支払用具として小切手法に規定され不渡の場合の処分行為(当銀行による取引停止処分)の裏付けもあること、判例が現金同様の支払手段とみている郵便為替と小切手との相違点をみても支払の確実性において多少の厚薄が認められるに過ぎないこと、またもし万一小切手が不渡となつたらその不渡を解除条件として弁済の効力が消滅すると解すれば取引界になにほどの不便も生じないことを述べて、小切手の提供が債務の本旨に従った提供であることを主張したのであるが――

「論旨は、上告人が本件金銭債務弁済のため、同額の小切手を提供したにも拘らず、原審がこれを債務の本旨に従ったものでないとしたのは、民法四九三条の解釈を誤ったものであると主張する。

しかし、金銭債務を負担する者が、弁済のため同額の小切手を提供しても、特別の意思表示又は慣習のない限り、債務の本旨に従ったものといえないことは、大審院判例(大八・八・二八民録二五・一五二九)の示す所である。銀行の自己宛振出小切手或は銀行の支払保証ある小切手の如き、支払確実であること明白なものは格別として、然らざる限り、その支払の必然であることの保証がないのであるから、右判例の示す所は当然であつて、逆に右判例を変更する必要を見ない。郵便為替の送付を以つて、金銭債務弁済の効力を生ずるものとする論旨引用の判例は、郵便為替が取引上現金と同一視して可なるものである以上、単なる銀行渡し小切手を問題とする本件に適切でない。

されば、本件において特別の意思表示又は慣習のなかつたことを確定して、以上と同趣旨の結論をした第一審判決を維持する原判決は、正当である」(最判昭三五・一一・二二判時二四五・二一)。

しかし、信用ある銀行が振出しあるいは裏書したもの、または支払保証のついた小切手は、取引界においてはほとんど現金と同視してこれを授受する慣行が存する。したがつて、「少くとも当事者と取引関係ある銀行の支払小切手ないしその支払保証のある小切手の如きは現実の提供となるという慣習があるとみるべき」であろう(我妻・総論一二三頁、柚木・総論下二二一頁、長谷部・前掲二九頁など)。

(3)　金銭以外の物を目的とする債務の弁済　特定物の売買において給付した目的物が見本品と異なつていても、買主は瑕疵担保責任を問うて、あるいは契約を解除しまたは損害賠償を請求することができるから、債務の本旨に従つた履行でないとして受領を拒否することはできないとする判例がある(大判大一五・五・二四民集五・四三三、評釈、平野・判民五五事件)。この点異論はないと思うが、不特定物に関する見本売買のときは(見本売買はこれを原則とする)、見本と異なれば不完全履行に当ると考えられるから(我妻・各論中三〇五頁以下参照、ただし判例は、いつたん受領した以上は瑕疵担保責任を問いうるだけとする)、受領を拒否できるとすべきである(受領した後も、完全なものの給付を請求できるわけだから、予め拒否することも可能なはず)。

また、商品の売主が買主において自由に処分しうる形式の貨物引換証を送付することは、現実の提供となると解すべきであるが(大判大一三・七・一八民集三・三九九)、判例は荷為替付貨物引換証の事案に際してはこれを否定する(大判大九・三・二九民録二六・四一一)。その理由とするところは、同時履行の抗弁権を有する買主に代金の先履行を強いるだけでなく、本来手形引受義務を負わない買主に特別の義務を負担させることになるから、としている。しかし、実質的に見て買主に格別の負担を強いるものでないから、ほとんどの学説はこれに疑問を抱いている（我妻・総論一二四頁、松坂・総論一七九頁、於保・総論三四三頁など）。

（二）　口頭の提供　債務者が口頭の提供で足りるとされるのは、次の二つの場合である。

(1)　債権者が予め受領を拒んだとき　この場合の拒絶は黙示でもよいと解されている。債権者が理由なく受領期日の延期を求め、または契約の解除を主張し（大判昭一八・六・二一法学一二・一二）、自己の負担する反対給付の履行を拒むようなことも、一般に受領の拒絶となるとされている。これに反し、履行の提供が債務の本旨に従つたものといえない場合の受領拒絶は、当然のことながら、ここにいう受領拒絶には当らない。なお、債務者が給付の一部について口頭の提供をしたに過ぎない場合であつても、債権者が予め受領を拒み契約履行の意思がなかつたときには（分割給付かつ代金引換の売買契約）有効であり、それにもとづく契約解除も効力を生ずるとの最高裁判例がある。

【11】　「原判決において適法に確定された事実関係によれば、被上告会社Xは、昭和二一年七月一〇日頃、高圧バルブ口金三〇万個を同月以降毎月三万個づつ製作して上告会社Yに引き渡す契約を締結したがその数日後、Yの申出により個数を一〇万個に減らすことを約定し、他方、Xは、訴外K下請工場に依頼して右バルブ口金の製作に着手したところ、間もなくYから更に二万個に減数方の要求があり、Xとしては、すでに右訴外工場において一〇万個の製作を開始し三万個余は出来上っていたため、右要求に応ずることができずYに対しその製品の受領方を求めたが、Yは、これを拒絶して契約履行の意思のないことを表明したので、Xは、Yにおいて翻意して右製品を受領するといえばこれを引き渡しうる状態においてその引渡しの準備をした上、Yに

対し昭和二二年九月二九日、二週間内に右製品三万個の受領方とその代金の支払を催告し、若しこれに応じないときはこれを条件として契約を解除する旨の意思表示をしたけれども、Yにおいて遂にこれに応じなかつたというのである。

すなわち本件においては、Yは、二万個以上の製品を受領するの意思なく、出来上つた当初の製品三万個の受領も拒絶して、Xとの間の本件契約の履行をあらかじめ拒絶しているのであるから、このような事情のもとにおいては、Xが右のごとく製品につき引渡しの準備をなし受領の催告をした以上、Yは、自己の債務につき不履行の責を免れることを得ないものであり、従つて、Xの契約解除は、その効力を生じたものと解するを相当とする」(最判昭三四・八・二八民集一三・一〇・一三〇一)。

(2)　債務の履行につき債権者の行為を要するとき　これは、前述のように、債権者が受領行為以外の協力を必要とする場合であつて、債権者の供給する材料に加工すべき債務、債権者が債務者の住所に来て給付を受領すべき債務、債権者の指定する場所または期日において履行すべき債務(大判大九・一一・四民録二六・一六三七)、債権者が選択権をもつ債務などの場合がそれである。無能力者に対する弁済に当つて現実の提供をなしうることは疑問がないが、後日相手方より取消される可能性があるのに現実の提供を強いることも妥当ではないから、弁済期までに法定代理人や保佐人の同意または許可を得させるため、債務者はまず口頭の提供をもつて受領を催告することができるものと解すべきである(大判大一一・六・二民集一・二六七)。登記をなす債務については、債権者が登記申請に協力するのを受領行為そのものと見て、口頭の提供は許されないとする学説(於保・前掲三四五頁 長谷部・前掲三九頁)があるが、履行期の特定している場合を除き口頭の提供で足り、当事者双方はさらにその期日を決定するように協力すべきであると解するを至当としよう(我妻・前掲一二六頁、もつとも長谷部氏は、前述のように、履行の期日を通知した上現実の提供をなすべしと主張されるが、大差はあるまい）。

(3)　提供の方法　口頭の提供においても、債務者は弁済の準備だけはしておかなければならない。もつとも、債権者が受領その他の協力をした場合には、遅滞なく履行をなしうるだけの準備が整つておればよい（大判大一〇・一一・八民録二七・一九四八）。具体的な程度については各場合に応じて信義則によつて決すべきであるが、たとえば代金債務の場合、必ずしも現実に資金を調達しこれを握有することを要せず、債権者が受領を申出ればいつでも現実に弁済できる程度に確実に資金借受の予約をなしておれば十分だとされる（大判大七・一二・四民録二四・二二八八）。

（四）　口頭の提供をも要しない場合　民法が口頭の提供をもつて足りるとしている一つの場合は、前述のように債権者が予めその受領を拒んだ場合である。このような場合でも、完全に債務者の提供を免除することなく、なお口頭の提供を債務者に義務づけているのは、債権者が翻意して受領しようとするに至る可能性が十分にありうるからであり、かつそのことは債権発生の原因に照しても望ましいことだからである。したがつてこの場合、債務者としては、「債権者カ前意ヲ翻シ受領セムト云ハハ直チニ履行ヲ完了シ得ル丈ケニ準備ヲ整フルト共ニ一面ニハ債権者ニ対シ其旨ヲ通知シテ其受領ヲ催告スル」（前掲【7】参照）ことが要求されているのである。そこで問題は、債務者が口頭の提供をしても債権者が受領する可能性の認められないほど拒絶の意思が明確な場合に、なおこれを必要とするか、という形で提起される。

条文自体の趣旨からは、いかなる場合にも口頭の提供だけは最小限必要だというように解されるが、大審院判例も原則としてそのように判断していた（大判昭二・五・一六新聞二七〇二・八、大判昭一五・一〇・二五新聞四六四六・五、ただし大判昭一〇・八・五全集二・一〇九九は、催告不要の場合があるとする）。ところが最高裁は、

【12】　賃貸地の買主が賃借人に対し賃貸借関係の承継を否認し、賃料の受領を拒絶した事案について、口頭の提供を不要とした。すなわち、

「上告人が本件賃貸借を否認し、従って賃料の受領を拒んで居り、たとい被上告人から言語上の提供をなされても、これを受領しなかったであろうことは明白な場合においてもなお形式的に言語上の提供を必要とするが如きは、全く無意義なものといわなければならない。法はかかる無意義を要求するものと解することはできないから、被上告人が言語上の提供をしなかったといって其責を負はすべきではない」（最判昭二三・一二・一四民集二・四三八、くわしくは長谷部・前掲書【59】判例参照）。

としたのである。ただしこの事案では、判旨前段において認定されたように、被上告人は最初の賃料支払に際しては現実の提供（現金を持参し、上告人が受取るとさえいえば即座に支払できる程度の準備をなした）をなしており、口頭の提供すらしなかったのは、賃貸借関係そのものを否認し賃料の受領を拒否された以後の毎月の賃料であった。

最高裁は引続いてこのような立場に立つ判例を出している。

【13】　上告人Xは甲ビルの経営者であり、被上告人Yは昭和一七年以降その一室を賃借している。ところでその契約書中には、賃料の支払を怠ったときは賃貸人から賃借人に対し催告その他の手続を要せず、直ちに賃貸借契約を解除するも賃借人において異議なき旨の約定があった。Xは、Yが昭和二七年五、六、七月分の賃料を支払わないので、同年六月二七日Yに到達した書面をもって解除の意思表示をした。原審では、右通知の当時はすでに本訴の提起後であり（Xは第一審においては、Yの無断工事の施工等賃貸借契約の義務違反を理由として契約を解除し、明渡を求めたが、敗訴した。そこで第二審に至り、その直前まで三十四ヵ月分にわた

る賃料を供託し、かつ通知してきたYに対し、その直後における三カ月分の賃料不払を理由とする解除の予備的請求をなすに至つたという経緯がある)、Xは賃貸借の解除を前提として貸室の明渡ならびに賃料に相当する損害金の支払を求めているのであるから、Xは損害金としてなら格別、賃料としては予め受領を拒絶しているものと認められるから、Yにおいてこれを支払わなかつたとしても履行遅滞にあつたものということはできないとして、Xの明渡請求を否認した。最高裁も、

「債権者が予め弁済の受領を拒んだときは、債務者をして現実の提供をなさしめることは無益に帰する場合があるから、これを緩和して民法四九三条但書において、債務者は、いわゆる言語上の提供、すなわち弁済の準備をなしその旨を通知してその受領を催告するを以て足りると規定したのである。そして、債権者において予め受領拒絶の意思を表示した場合においても、その後意思を翻して弁済を受領するに至る可能性があるから、債権者にかかる機会を与えるために債務者をして言語上の提供をなさしめることを要するものとしているのである。しかし、債務者が言語上の提供をしても、債権者が契約そのものの存在を否定する等弁済を受領しない意思が明確と認められる場合においては、債務者が形式的に弁済の準備をし且つその旨を通知することを必要とするがごときは全く無意義であつて、法はかかる無意義を要求しているものと解することはできない。それ故、かかる場合には、債務者は言語上の提供をしないからといつて、債務不履行の責に任ずるものということはできない。……以上の訴訟経過に照らし、Xは、前記三ケ月分の賃料を損害金としてならば格別、賃料としては予めこれが受領を拒絶しているものと認められるばかりでなく、第一審以来賃貸借契約の解除を主張し賃貸借契約そのものの存在を否定して弁済を受領しない意思が明確と認められるから、たとえYが賃料の弁済につき言語上の提供をしなくても、履行遅滞の責に任ずるものとすることができない」(最判昭三二・六・五(大法廷)民集一一・六・九一五、評釈 松坂・民商三六・六・八二一、岡村・志林五五・三)。

この判決に対しては五裁判官の反対があつた。少数意見の代表的なものを示すと、「多数意見の真

意は、受領拒絶の意思の明確な場合とは、受領拒絶の意思が強固な場合と同意義に見たのかもしれないが、その強固の場合においても、債務者に言語上の提供をさせることが無意義だとして、これを要しないと解すべきではない。なぜならば、四九三条但書において、債務者の履行義務を軽減した前記の法意に鑑みるときは、債権者の受領拒絶の蓋然性が極めて高度に達したときは、履行の準備もまた、軽微のものでよいということができようが、他面右法条は、債権者の翻意に基く債権関係の順調な発展の期待という趣旨を包含するものであるし、又実際上債権者の受領拒絶の意思が強固であると云つても、法の期待する翻意の実現が将来絶対に起り得ないということを、事前に確知することはできないから、債務者に弁済の準備をしたことを通知させ、かつ受領を催告させることが無意義だと解すべきではない」(河村裁判官少数意見)というにあつた。これら少数意見は概して、前記【12】の判例に対する学者の評釈(柚木・民商二五・三、同・総論下二二七―八頁)と同趣旨に出たものであつた。見解の分れるところは、第一に、改めて口頭の提供をさせること自体が債務者にとつて無意味なような場合がありうるか否かにあつた。あるとするなら、その場合は、少数意見のいうように翻意の可能性のない場合である。その例として、ラレンツは、主人がその秘書に旅に出かけるから明日は来るに及ばないと告げた場合(Larenz, a. a. O., S. 233)をあげ、松坂教授は、注文者が修繕の目的たる家屋を他人に修繕せしめた場合(請負人の履行期以前の意であろう)をあげておられる(松坂・民商三六・六・八二一)。本案の場合、これらの事例ほどに受領拒絶の翻意可能性がないかどうかが問題となるが、Xが債権関係そのものを否定してかかつていた事情を考慮するとき、多数意見に賛成すべきであろう(同旨、松坂・前掲、石本・評論一〇)。さらに、本件では、Xはすでに一部の受領遅滞にあつたという事情が加わつているが、この点は【15】を取扱う際に改めて問題としよう。

右の大法廷判決以後、この問題を取扱つた判決が二つ現われているが、その一つ【15】は結論を異にしている。

【14】「原判決において適法に確定された事実関係によれば、被上告人Xは、昭和二四年一二月判示訴外人から本件家屋の賃借権を譲り受け、賃貸人である上告人Yの承諾を得て、期限昭和二九年五月末日、二回分以上賃料の支払を怠つたときは催告を要しないで賃貸借を解除しうる等の約で右家屋を賃借していたが、右賃貸借は前記期間満了前に法定の更新拒絶の通知がなかつたため更新されたところ、Xが右期間満了直後の昭和二九年六月分の賃料を同年七月頃上告人に弁済のため現実に提供したのに対し受領を拒絶され、その後Xが翌昭和三〇年四月分以降の賃料の支払をしなかつたため、Yは右不払を理由に賃貸借解除の意思表示をした、というのである。

而して、債権者が契約そのものの存在を否定する等弁済を受領しない意思が明確と認められる場合には、債務者は言語上の提供をしなくても債務不履行の責に任ずるものでないことは、当裁判所の判例とするところであり（昭和三二年六月五日大法廷判決【13】）、前示事実関係によれば、Yは期間満了による賃貸借の終了を根拠にその存続を否定するものであり、爾後の賃料債務の弁済を受領しない意思が明確と認められる場合に当ることは、これを窺うに難くないところであるから、Xにおいて判示賃料の支払はもとよりその言語上の提供をしなくても、Xの責に帰すべき履行遅滞はないと解すべきである」（最判昭三四・六・二民集一三・六・六三一、評釈、石本・民商四一・五・七三〇）。

【15】本件の事実関係は次の通りであつた。上告人Xを貸主、被上告人Yを借主とする建物の賃貸借について、賃借人が賃料の支払を怠つたときは賃貸人は契約を解除しうる旨の特約があつたが、Yが昭和二八年五月一日以降の賃料の支払を怠つたので、同年一二月一九日Xは賃貸借契約解除の意思表示をした。一方、Yは同年五月二九日同月分の賃料をX方に持参したところ受領を拒絶されたので、同年八月二四日に五・六月分の賃

料を供託した。そのほか、Yは同年七月分以降二九年一二月分に至る賃料を五回に分けて供託したが、いずれもXの解除の意思表示後であつた。原審は、七月分以降の賃料を提供してもXは前同様拒絶するものと確定すべき事情にあつたから、Yには不履行の責はないとしたが――

「しかしながら、右のように定期に支払わるべき賃料について、賃借人が一ケ月分の賃料の受領方を拒絶したからといつて翻意の上爾後の賃料を受領する場合もないわけのものではないから、その受領拒絶について正当の事由のあつたこと、あるいはその後に事情の変更したことが認められないというだけでは、爾後の賃料を提供しても拒絶されたものと推定できるわけのものではない。尤も、右受領拒絶が爾後の賃料を受領しないという明確な意思の表示を伴うものであれば、Yのどんな提供も結局無駄に帰するのであるから、Yは不履行の責を負わないわけであるが、原判決は右受領拒絶がそのような内容のものとは認めていないのである。さすれば、昭和二八年七月分以降賃料の支払のなかつたことが当事者間に争のない本件においては、原判示のように、Yに賃料不払の責なく、従つて、前示契約解除の意思表示もその効力を生じ得なかつたものと速断するを得ない筋合であると云わなければならない」(最判昭三二・九・一二民集一一・九・一五一〇、評釈、於保・民商三七・三・三九四)。

この判決は、他の最高裁判例と系統を異にしている。もつとも本判決も、賃料の「受領拒絶が爾後の賃料を受領しないという明確な意思の表示を伴うものであれば、被上告人（賃借人）のどんな提供も結局無駄に帰するのであるから、被上告人は不履行の責を負わない」として、一般論としては大法廷判決【13】を是認する態度を示しているから、判例としてはなお一貫性を保つているように考えられないこともない。しかし、すでに批判があるように、本判決は先の少数意見の立場を貫いたものとみることができるのではなかろうか。判旨は、原審の事実認定が、債務者のいかなる提供も結局無駄に帰するほどに明確な拒絶とは判断していないことを理由にしているが、その根底には、債権者の受領拒絶の意思が明確だとしてもなお翻意の可能性がないわけではない、したがって債務者は少くとも口頭の提供をなす義務を免れうるものではない、との考え方が潜んでいるように思われるのである。本件の場合も、債権者はすでに一部受領遅滞にあるわけで、しかも継続的債権関係そのものを否定しようとする意思があつたのであるから（【12】、【14】の場合、債権者が賃貸借の承継自体を否認してかかつているが、債権関係否認の程度において本件の場合と甲乙はない）、賃料の受領を拒絶する意思は明確であつたとみるべきケースである。なお、この問題については、債権者遅滞との関係を考察する必要がある。すなわち、債権者が予め受領を拒絶し、かつその意思が明確であつたとしても、債務者は原則として口頭の提供をなす義務を負つている。しかし、債務者が債務の本旨に従つた提供をなしたにもかかわらず、債権者が正当の理由なく受領を拒絶し遅滞に陥つた場合は、これと区別することを要する。債権者は自ら受領遅滞にありながら、突如として（自らの受領遅滞を解消すべく、改めて受領すべき旨の催告を必要とすることについては、後述「四（四）受領の催告」参照）債務者の不履行を理由にして契約の解除を主張することは妥当でないからである。したがつて、かような場合には、信義則上口頭の提供も必要でないと解する見解（於保・民商三七・三・三九四、総論三四七頁、最判解説民事三二年度八〇事件（長谷部））に賛成すべきものと思う。

ところで、右に述べた点から明らかなように、口頭の提供を要しない場合のありうるか否かの問題は、もつぱら履行遅滞の成否という消極的効果に関連する問題としてであつた。債権者遅滞というような積極的効果を生ずる（受領を拒絶された債務者が一歩進んで相手方に遅滞の責任を問うとき）ためには、右と異なり、つねに口頭の提供を要すると解すべきである（松坂・民商三六・六・八二一）。債権者に対する警告的意味があるからである（以上の諸論点に関しては、別に長谷部「弁済の提供」を参照のこと。ここではその後の判例を中心に必要な限度で再録した。）。

三　債権者が受領を拒否するか、または受領不能であること

債権者の受領拒否または受領不能は理由のいかんを問わない。しかし、履行不能が原因となつて受領不能の状態を招来しているときは、ここでいう受領不能ではない。ただし、履行可能（この場合にのみ受領不能の問題が生ずる）か履行不能かの区別は実際上困難であることが多い。たとえば、雇主が正当な理由もなく労働者の就労を拒絶し（もつとも、合法的なロックアウトに出た場合は、違法性を阻却するから債権者遅滞にはならないと考えられている）、医師が治療をなすべき債務（往診の債務を含む）において、患者がことさら不在にしたような場合には、労働者の就労や医師の治療は本来履行可能なはずであるから、受領不能となり、債権者遅滞の要件を満たすことに疑問はないであろう。けれども、これと異なり、就労すべき工場が焼失し、あるいは診療を乞うた患者が医師の到着時にはすでに死亡していたような場合には、履行不能となるのか受領不能となるのか判断に苦しまざるをえない。

従来、わが国の通説は、受領不能は債務者のなすべき給付が客観的に可能であることを前提とするから、社会通念上給付行為の基本的要素が欠ける場合（労働者の就労には工場設備の存在が不可欠の要素といえるから）には、履行不能であつて、受領不能ではないとする。この考え方からすれば、前記設例の場合はともに履行不能に該当し、受領不能とはならない。しかし、最近の有力説はドイツの学説に影響を受けて、このような考え方に反対している（ドイツにおいて、この問題が論ぜられたのは、労働契約に関してであつた。履行不能の場合は危険負担の問題となる――債務者主義、ド民三二三条――が、雇主が受領遅滞となると、労働者は就労せずして報酬請求権を認められる――ド民六一五条――からである）。すなわち、債権の目的たる給付は債権者と債務者との相互協力によつて完了すべきものであるという考え方に立てば、履行の可能をもつて受領不能の前提となすことは一方に偏する、というわけである。すでにドイツの通説が、給付を不能ならしめる障碍が債権者または債務者のいずれの側の影響範囲内

において生じたかを標準として、それが債務者側にあるときは履行不能となり、債権者側にあるときは受領不能となるとしている考え方（領域説—Sphärentheorie, この理論については、Enneccerus-Lehman, Lehrbuch des bürgerlichen Rechs, Bd. II, S. 234. を参照のこと）と同様の立場に立つものである（我妻・前掲一三〇頁、於保・前掲一一〇頁、片山「受領遅滞」民法演習Ⅲ五八頁など）。この理論によれば、雇用契約の場合、労働者は病気、交通機関のストライキなどによる不履行について責を負うべきであり（債務者の責に帰すべき履行不能）、他方、使用者は原材料・石炭・電気の欠亡、工場の焼失、機械の破壊などによる労務遂行の不可能について責を負うべきこととなる（受領不能）。この理論は原則として賛成すべきであるが、なお給付障害と受領遅滞とを完全に区別することに成功しているとはいいがたい。

たとえば、妻の手術をして貰いたいとその夫から電話で依頼され、はるばる田舎に出向いた都会の外科医が着いたときは、患者はすでに死亡していたというような場合にも、この説では、夫は受領遅滞の責を負わねばならないことになる。しかし、このような解決は衡平だとは考えられない。そこで、給付を不能ならしめる障害が債権者の支配領域内に発生した場合でも、最高度の注意力をもつてすればこれを除去できる限りにおいては、受領遅滞の責任を認めるべきであるが、他方、債権者としては排除しえないような強大な障害が生起したため（不可抗力によるため）給付が不能に陥つたときには、その責任は問うことができない、とする見解が現われている（Enneccerus, a.a.O., S. 234.）。債権者の支配圏内において発生した給付障害であつても、不可抗力にもとづくものについてまで責任を問うことは妥当でないからである。しかし、同時にまた、受領遅滞の不成立即履行不能という結論を導き出すことも正しくない。履行不能にはやはり債務者の帰責原因を必要とするから、受領遅滞にもならず、履行不能にもならない場合がありうる。その場合は結局、危険負担の問題として処理するほかないことになる。

四　受領拒否または受領不能が債権者の責に帰すべき事由にもとづくこと

債権者遅滞をもって債務不履行と解せず、信義則にもとづく法定責任とする従来の通説の立場では、この要件を必要としない（於保・前掲一一〇頁、柚木・総論上一七五頁、鳩山・信義則一二五頁）。これに反し、債権者遅滞を受領義務の不履行責任であると解するときは、債権者の責に帰すべき事由にもとづくことを要することは当然であり、また帰責事由なきことの挙証責任も債権者にあることになる（我妻・前掲一三〇頁、松坂・前掲一一四頁、片山・前掲五九頁、加藤・前掲二七二頁）。従来の通説が依拠したドイツ民法では、受領義務の認められないところに義務違反なく、したがってまた過失の有無も問題となりえないとされてきた（Enneccerus, a.a. O., S.236; Larenz, a. a. O., S.232.）。過失の有無はただ、とくに受領義務の認められる場合にのみ、損害賠償義務ないしは解除の効果発生の要件として問題とされたに過ぎない。しかしながら前述のように、領域説の修正理論として、債権者としては最高度の注意力をもってしても排除しえないような障害の発生によって給付不能が生じたときは、債権者遅滞とならないという立場をとるならば、事実上債権者遅滞の要件として過失を要求しているものと考えられる（もっとも、その場合でも、遅滞の効果はわが債務不履行説の程度に認めるのではないが）。

債務不履行説では、債権者に帰責原因を要することとなるから、その限りでは債権者の責任を軽減することになる。けれども他方では、債権者遅滞の成立が認められるときはその効果として損害賠償請求権や解除権を債務者に与える点において、債権者の責任は加重されるわけで、債権関係を支配する信義則に照してより妥当な解決というべきである（我妻・前掲一三〇頁）。

なお弁済提供の問題を検討するに当つて、債権者の受領拒絶の意思が強固なときは口頭の提供すら不必要であるとする判例の立場を照会したが、それはもつぱら債務者の履行遅滞の成否に関わる問題として議論されたに過ぎない。したがつて債権者遅滞成立の要件として帰責原因を必要とする立場からは、かかる場合に債権者遅滞の成立を認めることはもとより不可能である。

三　債権者遅滞の効果

一　序説（弁済提供の効果）

債権者遅滞の効果としていかなるものを認めるかは、その本質に関する見解の相違によつて異なる。従来の通説は法定責任説の立場にあるから、弁済提供の効果と債権者遅滞の効果とを同視している。判例も、最近の一部下級審判例を除けば、通説に従つている。それには、民法第四一三条が単に、「履行ノ提供アリタル時ヨリ遅滞ノ責ニ任ス」と規定するにとどまり、具体的内容を示していないことが関係している。まず通説判例が弁済提供の効果即債権者遅滞の効果として認めるものに、次の諸効果がある。

（一）　債務者の不履行責任の免除　　債務者は弁済提供の時より「不履行ニ因リテ生スヘキ一切ノ責任ヲ免レ」（民四九二条）ることとなる。したがつて、債務不履行を理由とする損害賠償、違約金、遅延利息（その実質はいうまでもなく遅延賠償である）の請求を受けることがない（大判明三八・一二・二五民録一一・一八四二、長谷部・前掲【64】）ほか、強制履行や質権・抵当権の実行も受けない。また、債務不履行にもとづいて解除権を行使されることもない。しかし、提供によつてはまだ債務の消滅を来たすものではないから（さらに供託をなすなどの要件が加わらねばならないから）、債権者は担保物返還の義務を負うことはない（大判昭六・五・二二評論二〇民六二九）。先取特権や留置権が消滅しないことも当然である。

（二）　利息支払義務の免除　　債務者が期限の利益を放棄できる場合（民一三六条）は、弁済期前の提供もなお本旨に従つた提供とみられるわけである。かかる場合、債務者に対して依然として約定利息の支払を義務づけることは、提供後において遅延利息を支払わせるのと同一に帰するし（我妻・前掲一二六頁）、債権者の恣意によつて約定利息の発生期間を延長せしめうることとなつて信義則に反するから、約定利息の支払義務は免れるとすべきである（柚木・総論下二三〇頁）。判例も、買主が売買残代金に対し利息を付し登記と同時にこれを支払うことを約した場合において、代金弁済の提供をなし債権者を遅滞に付したときは以後利息の支払を免かれるべきものとしている（大判大五・四・二六民録二二・八〇五、長谷部・前掲【65】）。ところで、ドイツ民法は利息の発生を停止する旨の明文の規定を置いているが（三〇一条）、例外として、債務者が銀行などに預託して利息を得ていることを債権者が立証したときは、債務者が一般的に収益引渡義務を負つている限り（三〇二条の場合）、これを引渡すべきものと解されている（Enneccerus-Lehman, a.a.O., S.238）。明文の規定を欠くわが民法の解釈としても同様に解するのを妥当としよう（債務不履行説では債権者に損害賠償義務を負担させることがあるが、そのことと矛盾するわけではない）。

（三）　同時履行の抗弁権の喪失　　双務契約当事者の一方が債務の本旨に従つて提供したときは、相手方は同時履行の抗弁権を失う。この点問題はないが、いつたん提供した債務者は提供の継続をしないで相手方に履行の請求ができるか、については見解が分れる。つまり、相手方はその後同時履行の抗弁権を完全に喪失して、無条件に先履行をしなければならないか、それとも依然として、一方当事者の提供と引換えに提供をすれば足りるか、について意見の対立があるのである。判例は、提供の継続を要するとしている。

【16】「同時履行ノ抗弁ハ当事者ノ一方カ曾テ一タヒ履行ノ提供ヲ為シタルコトアルモ其提供ニシテ継続セサル以上ハ相手方ニ於テ主張スルコトヲ得ルモノトス蓋シ民法第四一三条及ヒ第四九三条ニ依レハ双務契約ニ於テ当事者ノ一方カ履行ノ提供ヲ為シ相手方之ヲ受領セサルトキハ相手方ハ之ニ因リ遅滞ノ責ニ任シ提供者ハ不履行ノ責ヲ免カルルモノナリト雖モ是レ皆提供者ノ債務ニ関シ生スル効果ニシテ相手方ノ債務ハ之レカ為メ何等ノ影響ヲ受クルモノニ非ス相手方カ有スル同時履行ノ抗弁ハ其債務ノ履行ニ付与ヘラレタル一ノ担保ニシテ其ノ履行ヲ求メラルルニ当リ常ニ提供スルコトヲ得ルモノナルカ故ニ他ノ一方ノ提供カ継続スル場合ハ格別然ラサルトキハ之ニ依リ其履行ヲ拒ムコトヲ得ルモノト為ササルヘカラス然ラサレハ他ノ一方カ一タヒ履行ノ提供ヲ為シタル後無資力ノ状態ニ陥ルコトアルモ相手方ハ必ラス其債務ノ履行ヲ為ササルヘカラスシテ甚シキ不公平ノ結果ヲ観ルニ至ルヘシ」（大判明四四・一二・一一民録一七・七七二、評釈、林・民商四・六・六〇）。

五三三条の文言からは、これと反対の結論も出てきそうに思われる。またこの抗弁権は、双務契約の当事者は特約なき限り先履行の義務を負わないとする趣旨に出たものであるから、相手方が適法に提供したのにこれを受領しなかつた者が不受領の不利益を課されるのは当然ではないか、という形でも反論されよう。しかし、判例も指摘しているように、いつたん提供した者の財産状態が悪化したときや、目的物を他に転売してしまつたときにも、なお相手方に対し無条件に給付を命ずることは公平とは考えられない。反対論者は、かかる不利益こそ適法な提供の受領を拒みまたはこれを受けることができなかつた結果であつて、当然受領遅滞者が甘受すべきものだとするが（柚木・同時履行の抗弁権（本判例研究叢書民法(2)）一四〇頁）。弁済提供の効果または債権者遅滞の効果として債権者に課される不利益および債務者の得る利益は他にも種々あり、それをもつて十分だと思われる。のみならず、債務者は提供によつて履行遅滞の責は免れるが債務自体を免れるものでないから、なお相手方の債務との間に履行上の牽連関係は存続するものとみるのを至当としよう。なぜなら、債務者をして履行の提供を繰り返えさしても、別段不利益を強いる結果とはならない。さらに、催告に当りいつたん弁済の提供をした一方当事者は提供を継続することなく解除権を行使できるが、この場合には契約関係を清算しようというのであるから、相手方としても提供者の資力を問題にする必要はなく、本来の給付を義務づけられている場合と同一に断ずることはできないからである（我妻・各論上九五頁　末川・契約上六九頁）。

（四）　供託　　債務者は、弁済の提供をなしても債権者が受領を拒絶し、または受領できないときは、供託して債務を免れることができる（四九四条前段）。しかし、供託のためには必ずしも提供を必要としないと考えられるから（同条後段）、供託をもつて提供の効果とすることは妥当でない。判例は、供託原因は原則として債権者遅滞であるとして、債権者が受領を拒絶した場合でも適法な提供（口頭の提供の意）をした上でなければ目的物を供託することはできないとしている（大判明四〇・五・二〇民録一三・五七六、長谷部・前掲【67】、大判大一〇・四・三〇民録二七・八三二）。そしてただ、口頭の提供をなしても債権者が受領しないであろうことが明確な場合には、例外として必要でないとする。すなわち、

【17】　「債務者カ現実ニ履行ノ準備ヲ為スコトト債権者ニ対シテ其受領ヲ求ムルコトトハ債権者ヲシテ遅滞ニ付シテ債務者ノ為メニ供託ニ因ル債務免脱ノ権能ヲ授与スルカ為メニ必要ニシテ欠クヘカラサルモノナリト雖モ履行ノ準備ヲ為シタルコトヲ通知スルコトハ何等特別ノ事情ノ存セサル通常ノ場合ニ於テハ必要トスルモ

其通知ヲ必要トセス又ハ其通知ヲ為スモ其効ナキコトカ明確ナル場合ニ於テハ債務者ハ特ニ之ヲ為スコトヲ要セス直チニ供託ヲ為シテ其債務ヲ免ルルコトヲ得ヘシ」（大判明四五・七・三民録一八・六八四、長谷部・前掲【68】）。

けれども、四九四条の文言からしても口頭の提供は必要がないと解されるし、また、債権者が受領を拒絶すれば直ちに供託できると解することが供託制度の目的にも適する。したがつて、債権者の受領拒絶があれば、弁済者はさらに口頭の提供をして（債権者遅滞の責任を問う場合には、必ずこの要件を欠くことをえないことについては、前記二の二(四)参照）債権者を遅滞に付するか、あるいは、直ちに供託をなして債務を免れるかの選択権を有すると考えるべきであろう（我妻・総論一五五頁、鳩山・信義則一七九頁）。もちろん、債権者遅滞の要件を具える場合（債務不履行説では、客観的要件を具備する場合ということになる）には供託をなしうること当然である。

二　債権者遅滞に特有の効果

右に述べたことは、本来弁済提供の効果とみるべきものである。債権者遅滞をもつて債務不履行の一種と考えるときは、次に記す諸効果が債権者遅滞に特有なものということができる。

（一）　増加費用請求権　　債権者遅滞によつて、債務者が弁済の費用および目的物保管費用を増加するに至つたときは、債務者はこれらの増加費用を債権者に請求できる（ドイツ民法三〇四条には明文の規定がある）。通説はその根拠を「債権者ハ遅滞ノ責ニ任ス」と規定する四一三条および「但債権者カ住所ノ移転其他ノ行為ニ因リテ弁済ノ費用ヲ増加シタルトキハ其増加額ハ債権者之ヲ負担ス」との四八五条に置く（鳩山・前掲一九〇頁）。弁済提供即債権者遅滞の他の諸効果はすべて消極的効果にとどまるから、この積極的効果を認めるのでなければ四一三条は空文に帰するとなし、さらに債権者の受領拒絶による弁済費用の増加はまさに四八五条の規定するところとなす（他は直接に四一三条により）。債務不履行説の立場では、債務者は「債権者ノ行為ニ因ツテ」増加した弁済費用（保管のための費用も、弁済費用を広義に解するときは、これに包含せしめうるであろう）は四八五条により（および四一三条によりという方が正確か）、その他の増加額は損害賠償として（増加費用か損害賠償かの区分を四一三条の下で詮議することは無用である）四一三条により請求できる理窟である（我妻・前掲一三〇頁、片山・前掲六〇頁）。

（二）　損害賠償請求権　右のように、少数説の立場からは増加費用請求権と損害賠償請求権とを厳密に区別する必要をみないが、通説は後者を否定し弁済費用と保管費用の増加請求権しか認められないという。判例の立場も大勢としてそうである。前記判例【1】、【3】、【4】などは、いずれも「売買契約ノ解除セラレサル限リハ仮令買主カ契約ニ違背シテ目的物ヲ引取ラサルモ売主ハ約定ノ代金ヲ請求スルコトヲ得ルヤ言ヲ俟タス従テ其目的物ノ時価カ低落シタレハトテ売主カ約定ノ代金ト低落シタル時価トノ差額ヲ損失スルコト」（【1】参照）なし、という趣旨の判示をしている。解除をしないで、債権者遅滞を理由として直接に損害賠償請求は許されない。なぜなら、約定代金請求権が存続している以上、時価が下落しようと売主が損失するはずはないから、というのである。しかも、債権者遅滞は債務不履行の一種ということはできないから、法定解除権を発生せしめるわけのものでもない。損害賠償を請求するなら、相手方の代金債務不履行を理由として契約を解除してかかりなさい（代金後払いの特約があるときは、その履行期の到来を拱手して待つた上で）、というのが、これらの判例に共通する考え方である。したがつて、【1】の事案のように、買主に目的物引取の意思がないことを看取して売主が他に売却してしまつたとしても、その前に相手方の債務不履行を理由とする解除の手続を踏んでおかない限り、損害賠償はとれないというわけである。

これに対し、前記の下級審少数判例は、債務不履行説に立ってこれを肯定する。まず、【5】の判決は受領義務の遅滞は相手方に解除権を発生せしめるとした上で、解除に当っては解除権者の蒙った損害を賠償する義務があるとしている。また、【6】では、代金受領債務の履行遅滞から生じた損害があるときは、受領遅滞にある債権者はこれを積極的に終了させるためには、その損害賠償金を同時に提供することを要するとしている。いずれも、近時の債務不履行説に立脚した判旨である（同趣旨の学説として、我妻・総論一三〇頁、松坂・総論一一四頁、片山・前掲六一頁、末弘・総論一八二頁など）。なお、債務不履行説に立たない学説の中にも、債務者に生じた損害が信義則からみて債権者の責に帰すべき事由によると判断される場合にはこれを認めようとするもの（津曲・総論上一四二頁）や、債務者が債権者の不受領と相当因果関係において損害を受け、かつ不受領が債権者の責にもとづくときは、不法行為責任として損害賠償を肯定しようとするもの（勝本・総論三八五頁）などがある。ともあれ、これらの見解に立てば、債権者遅滞の要件が具わったときには債務者は反対給付について相手方（債権者）を履行遅滞におき、そのことを理由として契約を解除した上で（または解除の手続を経ずに）損害賠償を請求するなどの廻り道を辿ることなく、直接に債権者遅滞にもとづいて損害賠償を求めることが可能なわけである。その妥当なことはいうまでもない。また、常に比較対照されるドイツ民法の場合にあっても、一般的には増加費用の補償（Ersatz der Mehraufwendungen）しか認めないものの、最もしばしば問題となる売買契約（四三三条二項）あるいは請負契約（六四〇条一項）においては引取義務が課されており、この義務を履行しないときは一種の債務不履行（二八四条以下）となり、損害賠償義務（二八六条）を負うこととされていることに照しても、このような効果を是認すべきものと思う（否定論者は、ドイツ民法のような特別規定のないわが民法においては否定すべきもののように主張するが、債務不履行説の成立しうることは前述の通りである）。

（三）　契約解除権　　債務不履行説の立場からは、債権者遅滞の効果として契約解除権も発生するわけであるが、法定責任説では債権者に受領義務は認められず解除権の発生は否定される（鳩山・前掲一七九頁、柚木・総論上一七二頁、於保・前掲一一二頁）。判例も前記のように、伝統的にこれを否認してきた。すなわち、「買主カ売買ノ目的物ノ受領ヲ拒絶シタリトセハ是レ権利ノ不行使ニシテ受領遅滞ノ責ヲ負フモ債務ノ不履行ニアラス売主ハ之ヲ理由トシテ売買ヲ解除シ得可カラス」（前掲【2】）といい、また、「債権者ノ受領遅滞ハ契約解除ノ正当ナル原因タラサルヤ言ヲ俟タ（ス）」（前掲【3】）と説示してきている。この立場に立つ鳩山博士も、「瑞西債務法第九十五条は債権者遅滞の効果として物の給付以外の給付を目的とする債務に付ては契約解除権の成立を認む。之れ物の給付以外の給付を目的とする債務に付ては供託によりて債務を免るる方法なきが故に、特に之を認めたるものにして、立法論としては頗る当を得たるものと信ず。然れども我民法の解釈上之を認むることを得ざるは多言を要せずして明ならん」（前掲一七九頁）と述べ、また、「反対給付の請求を為し相手方の履行遅滞を理由として解除を為すの方法は債務者が先づ履行するの義務を負へる場合其他債権者に於て給付の範囲を指定する権利を有する場合等に於て之を実行することを得ざるが故に立法論としては瑞西債務法の如き規定を設くるを正当とす」（前掲一八〇頁）と主張しておられた。実際上の必要性を認めながらも、解釈論としてこれを退けたのであった。

　これに反し、債務不履行を認める立場からは、債権者において受領可能のときは受領に要する相当な期間を猶予して受領を催告し、右期間の徒過によつて債務者は契約を解除することができる、また受領不能のときは直ちに契約を解除できることになる。最近の下級審判決には前述のようにこの立場に立つて解除権を認めるものが現われるに至つている。すなわち、「被告の受領拒絶がその責に帰し得ない事由によるものである旨の主張も立証もない以上、被告は原告の約旨に従つた提供を拒絶することによつて買主としての受領義務を遅滞したものと認めるほかなく、この受領遅滞は原告において相当期間を定めて受領を催告した上本件売買契約を解除する理由となり得ると解すべきである」（前掲【5】）とする。現在までのところ、解除権を肯定する判決はこれを除いて見当らないが、この判決が新しい判例への道を開くかどうか注目されるところである。

　なお、信義則上の協力（受領）義務を認める津曲教授は、売買とか請負については信義則に照し債権者に受領義務がある場合が多いとされ、その場合には債務不履行となることを肯定しながらも（同・判例評論二・一六）、他方債権者遅滞を原因として、「直ちに」契約を解除することはできないとする（同・総論上一四二頁）。さらに、債務不履行説に立つ片山教授も、双務契約たとえば売買において、売主の目的物引渡債務に対して反対給付をなすものは買主の代金支払債務であることを顧るときは、買主の受領義務の不履行だけでただちに契約解除権を認めることにも一抹の疑問を残す、といわれる（前掲六〇頁）。受領しないこと、またはできないことが債権者の責に帰すべき事由にもとづく場合に、損害賠償請求権は認められても、解除権を認めることには反対である、とする議論には納得し難いものがある。ことに、受領義務が認められる場合には債務不履行となるとしながら、解除権の発生はこれを否定するという根拠は不明確である。一抹の疑問を残すとする片山説の気持も分らないではないが（エンネクチェルスが、受領遅滞による解除権は、受領が他方当事者の主たる債務であるような場合にしか認むべきでない、としている——Enneccerus, a. a. O., S.237. ——考え方に同説は影響されているものと思われる）、買主の代金債務の履行期が後に到来するような場合に、すでに債務の本旨に従つた提供をなした売主をして徒らに弁済期まで待機させることが、はたして妥当な解決といいうるであろうか。値動きの活溌なときに、しかも買主に誠意なく資産も十分でないような場合には、受領遅滞にもとづいて直ちに契約解除権を認めるのでなければ、迅速を旨とする商取引の実情にマッチするとはいえない。なるほど、前掲【5】の事案のような場合には、代金後払いの特約もないから、受領遅滞と同時に成立した代金債務の履行遅滞を理由として解除権を行使できる筋合いであるが、このような場合でも（この場合が一般的である）おのおのの事由にもとづく解除権を競合せしめることになんらの支障はないはずである（選択行使が許されてよい）。なぜなら、これを認めたとしても解除権発生原因を不当に拡張したことにはならないと思われるからである（代金後払いの特約をしたことから、解除権行使に対する時間的制約の存在を当然に理由づけることはできない）。

（四）　債務者の保管義務の軽減　　債務者が給付の目的物保管に関する注意義務を軽減されるか否かについては、近時の学説は一般に肯定している。ただ、わが民法は他の立法例（たとえばドイツ民法三〇〇条一項は、「債権者遅滞の間債務者はただ故意と重過失についてのみ責に任ずる」と規定している）と異なり、これに関する規定を欠いているから、かつては賛否両論が対立した。古い下級審判例の中には、否定説の立場に立つたものが見られる。

【18】　「抑モ債権ノ目的カ特定物ノ引渡ナルトキハ物ノ引渡ヲ為ス迄債務者ハ善良ナル管理者ノ注意ヲ以テ之ヲ保存スヘキ義務アルコトハ民法第四百条ノ規定ニ徴シ明カニシテ該義務ハ債権者ノ遅滞ニヨリ軽減セラルルコトナキモノト解スルヲ相当トス」（東京控判大一五・一・二八評論一五民八〇一、同旨、大阪地判大三・七・一五評論三民七三九）。

もつとも、保管義務の軽減を肯定した下級審判決もないわけではなかつた（宇都宮地判大九・七・一評論九民八一二）が、その根拠についてはいずれも明らかにしていなかつた。現在の通説は、提供後の債務者は以後、無報酬にて寄託を受けた者と同様の地位にあるから、民法六五九条を類推適用して、債務者は以後自己の財産におけると同一の注意をなすをもつて足りる、と解している（鳩山・前掲一八四頁、柚木・総論下二三〇頁、津曲・総論上一四二頁、末弘・前掲一八一頁）。下級審判決中にも、これと同趣旨に出たものがある。

【19】「更に控訴人は「仮に本件とろろ昆布の滅失毀損につき控訴人側に保管上の過失があつたとしても、被控訴人は寄託期間を過ぎても控訴人からの再三の催告に拘らず寄託物の引取を為さず同年十一月十六日以降は冷却中止を命じ翌年三月二十二日に至つて漸く之を引取つたのであるから、寄託期間後生じた損害については、控訴人は責を負うべきではない」と主張する。而して、本件昆布の寄託期間が当初昭和二十三年六月上旬より九月頃までと定められ、それが被控訴人の希望により特に同年十一月迄延長せられたにも拘らず、その期間経過後も被控訴人が控訴人よりの度々の引取請求に拘らず、とろろ昆布の滅失毀損を理由として引取を拒み、翌昭和二十四年三月二十二日に至つてようやく之を引取つたことは前認定の通りであり、本件寄託物件は特定物であるから、寄託期間が過ぎて受寄者より引取の請求が為された以上、たとえ寄託物に一部滅失毀損があつても寄託者は之が引取を拒み得ないものと言うべく、之を拒めば寄託者の債権者としての遅滞を生じ、受寄者は爾後自己の物に対すると同一の注意義務を以て保管を為せば足るものと言うべく、従つて寄託期間満了後に生じた損害については、受寄者が自己の物に対する程度の注意すらも欠いだことの立証がない限り、受寄者に於て其の賠償を為すべき義務はないわけである」（福岡高判昭二九・八・二下級民集五・八・一二三八）。

これに対し、債務不履行説の立場では、債権者に帰責事由を必要とする代りに、債権者が遅滞に陥つたときは債務者はただ故意と重過失の場合にだけ責を負うものと解されている（我妻・総論二六頁、一三一頁、片山・前掲六二頁、松坂・前掲一一四頁、ただし末弘・前掲は反対）。すなわち、民法四〇〇条は、特定物の引渡を目的とする債務を負担する債務者は引渡をなすまで善良なる管理者の注意をもって目的物を保管すべきことを規定しているが、履行期を徒過したことが債務者の責に帰すべきときは履行遅滞となり、以後債務者は不可抗力にもとづく滅失毀損についても責を負うことになる（四一二条・四一五条）。このこととの対抗上、債権者が受領遅滞に陥ったときは故意または重過失についてしか債務者は責に任じないとするのが衡平だからである（この結果、履行期以後も──引渡をなすまで──四〇〇条の適用があるのは履行遅滞とも債権者遅滞ともならない場合に限られる）。

（五）　危険負担の移転　双務契約の場合は、債権者遅滞以後は危険は債権者に移転する。すなわち、特定物に関する物権の設定および移転をもって双務契約の目的としたときは、不可抗力による滅失・毀損の危険は債権者が負担すべきものとされるが（五三四条一項、不特定物の場合は特定したときから──二項）、とくに債務者が危険を負担する旨を約した場合、および特定物に関する物権の設定移転を目的とする以外の債務の場合（五三六条一項）は元来危険負担は債務者にある。しかし、これらの場合にあっても、債権者が遅滞に陥ったとき以後においては、その危険は債権者に移転すると解すべきである（我妻・総論一三一頁、片山・前掲六二頁、於保・前掲一一一頁、末川・契約法上一〇〇頁）。けだし、五三六条二項は「債権者ノ責ニ帰スヘキ事由ニ因リテ履行ヲ為スコト能ハサルニ至リタルトキ」は債務者は反対給付を受ける権利を失わない旨を規定しているが、債権者遅滞自体が債権者の責に帰すべき事由と見られるし、履行不能の直接の原因は不可抗力であっても、一般に債権者遅滞なかりせば履行不能の事態は招来しなかったという事情にあるからである。

のみならず、履行遅滞後に給付が不能となるときは、不可抗力による場合にも原則として債務者の責任を生ずる（遅滞なかりしとするもなお不能を生ずべかりしことの確実なときは別）とされている（我妻・総論七二頁、八五頁）ことに鑑みても、債権者遅滞の場合を別個に解すべき理由はないからである。債権者遅滞に債権者の故意・過失を必要としないとする通説も衡平の原則に照して一般にこの効果を認めるのであるが（末川・前掲、柚木・前掲二三〇頁、於保・前掲）、債務不履行説の立場からはその結論を疑問視している。もつとも鳩山博士は、債権者遅滞の効果として常に危険の移転を認むることはできない、ただ不受領または受領不能につき債権者に過失ある場合に限つて危険の移転を生ずるとして、その理論を貫かれる（前掲一九七頁、以前の説を改められた）。その理由として、「ドイツ民法において三二四条（同条は、受領遅滞以後の不可抗力による履行不能については、債権者の責に帰すべき事由による履行不能と同一にみなす）の特則を必要とせるは同法においても理論上は別個に解しているがためなり」とされるが、同条はむしろ理論的に同一視しているためと解すべきではあるまいか。

なお判例には、請負工事の注文者がその仕事を理由なく第三者にやらせてしまつたため履行できなくなつた場合（大判大一・一二・二〇民録一八・一〇六六）や、会社が出勤を拒絶したため労務に服することができなかつた場合（大判大四・七・三一民録二一・一三五六）があるが、これらはいずれも債権者の責に帰すべき事由本来の場合であつて、債権者遅滞の後に不可抗力で履行不能を生じた事例（請負工事の注文者が債権者遅滞に陥つている間に、その建物が延焼で燃えたような場合）とはいえない。

四　債権者遅滞の終了

債権者遅滞の終了原因については、民法はなんら規定をおいていない。したがつて、民法一般の理論と債権者遅滞の特質とを合せ考えてこれを決めるほかはない。

（一）　債権の消滅　債権消滅の事由が債務の免除・弁済の受領・供託によると、はたまた債権者

・債務者双方の責に帰すべからざる事由にもとづく履行不能によるとを問わない。最後の場合には危険負担の問題を生ずることについては、前に述べた。ともあれ、これらの事由によつて、債権が消滅するときは、債権者遅滞もまた消滅する。

（二）債権者遅滞の免除　債務者が債権者に対し遅滞を免除したときは、債権者遅滞は終了する。債務の免除が債権者一方の意思表示によつて可能である（五一九条）のと同様に、債務者の一方的意思表示によつてなしうると解すべきである（於保・前掲一一二頁）。

（三）債務不履行の発生　債権者遅滞の後、債務者の責に帰すべき事由によつて履行不能となつたときは、遅滞は終了する。債権者遅滞以後は、債務者の目的物保管義務は前記のように軽減され、故意または重過失（通説では、「具体的軽過失」となる）についてのみ責を負うに至るわけであるが、その場合でもなお債務者の責に帰すべき事由による履行不能の発生はありうる。したがつてその場合、債務者は債務不履行の責を負うべく、賠償金額を直ちに供託して債務を免れるというようなことはできない（債権者遅滞は終了したから）。改めて賠償金額の提供をなし、しかも債権者が不受領のときに初めて供託をなしうるに至るものと解される（鳩山・前掲一九九頁）。

（四）受領の催告　債権者が受領に必要な準備をなし、かつ遅滞中の一切の効果を承認した上で、改めて受領すべき旨の意思を表示したときは、債権者遅滞は終了するものと解すべきである。債権者はすでに遅滞にあるのであるから、単純に履行の催告をしても、債権者遅滞は終了せず、したがつてまた、債務者がこれに応じて履行しないからといつて逆に履行遅滞に陥るわけのものではない（前掲二の二（四）参照)。債務者が履行に着手するために債権者の協力行為を必要とするときは協力の準備を予めなすことを要し、受領不能のため遅滞に陥つているときは、受領可能の状態を整えることが必要である(鳩山・前掲二〇〇頁)。なおそのほかに、債権者は遅滞中の一切の効果(増加費用の負担、損害賠償など)を承認して受領すべき意思を表示することを要する。すでに遅滞の責を負つている者として当然の負担といわねばならない。

判例は当初、受領遅滞にある債権者は自己の受領遅滞を除去しないでは、相手方の債務不履行を理由として契約を解除することはできないとした。

【20】　上告理由によれば事案の概要は次の通りである。大正六年九月および十月中、上告人Xより被上告人Yに対しメリヤスの一定数量の売渡を契約し、同年十二月中を履行期と定めたので、目的物を引渡すべく苦心したが、Yは受領を拒絶しておったところ(当時市価は下落していたという)、翌七年二月十六日に至り二週間以内に履行をなすべき旨の催告をなしきたり、次で同年三月十三日契約解除をなし損害賠償の請求に及んだ。上告理由では、遅滞にある債権者は、履行の受領をなすべき準備あることを債務者に通知して履行の催告をなすという前提が必要であり、唐突に五四一条の催告をなしても解除することはできないと主張した。

「売買契約ニ於テ当事者ノ一方タル売主カ買主ニ対シ契約ノ目的物引渡ノ義務ヲ履行セサルトキハ買主ハ相当ノ期間ヲ定メ其履行ヲ催告シ若シ其期間内ニ履行ナキトキハ売買契約ヲ解除スルヲ得ルコトハ……論ヲ俟タサル所ナルモ売主ハ其目的物ノ引渡ヲ為サントシタルモ買主ニ於テ之カ履行ヲ受クルコトヲ拒絶シタルトキハ買主ハ其履行ノ提供アリタル時ヨリ遅滞ノ責ニ任スヘキモノナルコトハ民法第四百十三条ノ適用上極メテ明白ナル所ナルノミナラス同法第四百九十二条ノ規定ニ依レハ売主カ引渡義務履行ノ提供ヲ為シタル以上ハ爾後不履行ニ因ル一切ノ責任ヲ免カルヘキモノナレハ右ノ場合ニ於テ受領遅滞ノ責ニ任スヘキ買主ハ自己ノ受領遅滞ヲ除去セスシテ売主ニ引渡義務ノ不履行アリトシ契約ノ解除ヲ為スコトヲ得サルヘク縦令買主ニ於テ其履行ヲ

催告スルモ其催告カ民法第五百四十一条ノ債務不履行ニ基ク契約解除ノ前提トシテ為シタルニ過キサルモノナル以上如上売買契約ノ解除ヲ適法ナラシムルニ足ラサルモノトス本件当事者間ノ売買契約ニ関シ売主タルXハ買主タルYニ対シ未タ現実ニ其目的物ノ引渡ヲ為シ居ラサルコトハXノ争ハサル所ナルモ原院ハ……Yニ受領ヲ拒絶シタル事実……アルモXノ債務ハ当然消滅スヘキモノニ非サルヲ以テ其後Yニ於テXニ対シ履行ノ催告ヲ為シ其催告ニ応セサル以上Xハ不履行ノ責ヲ免カルルヲ得サルモノトシYノ解除ノ意思表示ヲ正当トセリ若シ右原院判示ノ趣旨Yニ於テ一旦受領ヲ拒絶シタルモ爾後更ニ履行ノ請求ヲ為シ自己ノ受領遅滞ヲ除去シタル事実アルニ拘ハラスXニ於テ右請求ニ応セサリシ事ヲ認定セントスルニ在リトセハ正当ナルモ其所謂履行ノ催告ナルモノカ単ニ契約解除ノ前提条件トシテ民法第五百四十一条ノ規定ニ従ヒ為サレタルモノニ過キサルモノトセンカ斯ル催告ハYノ受領遅滞ヲ除去スルニ足ラサルハ論ヲ俟タサル所ナレハ右原判示ハ前示説明スル所ニ従ヒ契約解除ノ法則ヲ誤解シタル不法アリト謂ハサルヲ得ス」（大判大九・四・一二民録二六・四八七）。

もつとも、それ以前の下級審判決の中には、「債務ノ履行ニ付キ債権者カ遅滞ニ付セラレタル後ニ於テモ債権者カ其債権ノ担保タル抵当不動産ノ競売申立ヲ為シタルトキハ其競売申立ハ債務弁済ヲ求ムルノ趣旨ヲ包含スルモノナレハ債務者ハ弁済ノ提供又ハ供託ヲ為スニ非サレハ履行遅滞ノ責ヲ免レス従テ相手方ハ競売手続ノ進行ヲ拒ムコトヲ得サルモノトス」との趣旨に出たものがあつた（岐阜地判大三・一〇・二八評論三民六一二）。しかし、この判決は、債権者が遅滞にあるときは債権者は担保物権の実行ができないという効果（三の一(一)参照）を無視する点、および競売申立は裁判所に対する手続に過ぎず債務者に対する請求の趣旨を包含するものでないから、これによつて遅滞が除去されるのでないという二点について批判を免れないものであつた。

ところで、その後判例は、遅滞にある債権者が相当の期間を定めて催告したときは、期限の徒過後債務者は不履行の責を負わざるをえず、したがつて債権者が改めて催告することなく契約を解除したとしても有効だとするに至つた。

【21】「按スルニ売主ニ於テ売買ノ目的物ヲ引渡場所ニ運搬シテ受領ヲ催告シ以テ弁済ノ提供ヲ為シタルニ拘ハラス買主カ其ノ受領ヲ拒ミタリトスルモ弁済ノ提供ハ売主ヲシテ其ノ提供ノ時ヨリ不履行ニ因リテ生スヘキ責任ヲ免レシムルニ止リ売主ニ於テ目的物ヲ供託セサル以上未タ引渡義務ヲ免レシムルモノニ非サルカ故ニ買主ハ更ニ何時ニテモ売主ニ対シテ履行ヲ求メ得ヘク此ノ場合若シ売主ニシテ其ノ引渡ヲ肯セサルニ於テハ売主ハ不履行ノ責ヲ負ハサルヘカラス而シテ買主カ右履行ノ請求ヲ為スニ当リ相当ノ期間ヲ定メテ催告シタリトセハ其ノ期間ノ経過シタル後買主ニ於テ売買契約ヲ解除スルコトハ因ヨリ之ヲ妨ケサルコト当院ノ判例トスル所ナリ（大正十三年(オ)第二百四十号同年八月六日判決）今本件ニ付之ヲ観ルニ共ニ薪炭ノ販売ヲ業トスル商人ナル当事者カ木炭五車分ノ売買契約ヲ為シタルコト当事者間ニ争ナシ又原審ノ確定シタル所ニ依レハ被上告人カ曩ニ一車分ノ受渡ヲ了シタル後昭和十一年二月二十二日貨車一輛ニ其ノ主張ノ如キ種類ノ木炭ヲ積載送荷シタルニ拘ラス上告人ニ於テ之カ受領ヲ為ササリシ事実及其ノ後同年三月十日上告人カ被上告人ニ対シ木炭残四車分ヲ同月十八日迄ニ発送スヘキ旨ヲ催告シ該催告カ同月十一日被上告人ニ到着シタルニ拘ラス被上告人ニ於テ之カ履行ヲ為ササリシ為上告人ハ同月二十四日本件売買契約解除ノ通知ヲ為シ右通知カ翌二十五日被上告人ニ到達シタル事実モ亦当事者ニ争ナキ所ナリ而シテ……被上告人カ右木炭ヲ供託シ又ハ催告ノ上競売シタル事実ハ原審ニ於テ当事者ヨリ主張セラレサル所ナルカ故ニ冒頭説示ノ理由ニ依リ上告人ノ前記契約解除ハ適法ナリト謂ハサルヘカラス」（大判昭一三・七・一法学八・三三・三四五）。

ところが、最近の最高裁判例は再び以前の大審院判例に復帰する態度を明らかにした。

【22】不動産の買戻契約に際し、財産税等はXの負担としこれを一応金三万円と見積り、XがYに右金員を支払えば、本件各不動産の残りである畑四筆をXに返還し、その所有権移転登記手続をなし、後日財産税額が判明次第清算をする旨の約定が成立した。受領遅滞にあったYがXの債務不履行を理由に契約を解除したが、その前提としての催告の要件が問題となったのが、この事件の概要。なお、Yが催告に当って自己の債務について履行の提供をしなかったことも、あわせて争点とされたが、この点は省略する。

「原審の認定したところによれば、被上告人Xは昭和二一年六月末頃金三万円を調達して上告人Y方へ持参し、受領を求めたところ、Yは税額は三万五千円であるといいだし、更に一、二日後三万五千円を持参提供したところ、今度は税額は四万円であるといつて受取らないため、Xは更に四万円を持参提供して税額につき納得のゆく説明を求めたが、これをしないため、四万円を供託するというと、供託ではいけないというので、Y（判例集ではXとなつているが誤記と思われる）の真意を測りかね、これを持ち帰り、同年八月二七日山口市の〇弁護士にYに対する該畑四筆の所有権移転登記手続請求の提訴方を依頼するに至つたというのであり、なお、原審は、Yは、Xが約旨の三万円およびYの要求による三万五千円、四万円を持参して提供をなしたときこれを拒みその都度受領遅滞の状態にあつたことを判示しているのである。しからば、かかる受領遅滞にあるYとしては、契約解除の前提としての催告をするがためには、Xに対し右受領遅滞を解消せしめるに足る意思表示をした上、右三万円の請求をすべきであつて、これなしに漫然その支払のみを請求しても契約解除の前提としての適法な催告をしたものとは認められない」（最判昭三五・一〇・二七民集一四・一二・二七三三）。

この判決でも【20】の場合とほぼ同様に、受領遅滞にある債権者はまず債務者に対し、受領遅滞を解消せしめるに足る意思表示をなすのでなければ、履行を請求するための前提条件を満たすことにはならないとしている。もつとも、判例のいう、「受領遅滞ヲ除去シタル事実」（【20】参照）とか、「受領遅滞を解消せしめるに足る意思表示」（【22】参照）とかが、具体的にはいかなる内容のものであるかは、必ずしも明確ではない。その点、【22】の原審判決がいつているように、「右の様な場合被控訴人は先づ右増額要求部分を撤回して当初の三万を確かに受領する旨の意思を表示する等受領遅滞を解消させるに足る措置を講じた上右三万円の請求をしなければならないのに漫然これが支払のみを請求したのであるから斯様な請求は契約解除の前提としての催告としては信義則に反し無効のものと謂わねばならない」とでもすれば、多少具体的になる。それにしても、上告理由の中で主張されているように、「昭和二十二年三月十三日Xに対し、約定の財産税等金三万円を同月末日限り支払うべく若し支払なき場合は本件畑を自由に処分する旨の催告をなしている。これは上告人の受領遅滞を解消するに付十分な措置である。右催告は、本来の給付請求をした催告であるから、当初の三万円を確かに受領する旨の意思を表示したものであることは明白である。……これ以上確かに三万円受領する旨を表示する必要があるというのであるが、それでは、債権者はどの様な措置をとれというのであろうか」との疑問には答え切つていない。判例の立場も、受領遅滞にある債権者が契約を解除するためには、受領遅滞解消のための意思表示（催告）と解除権行使の前提条件たる催告とを単に繰返すことを要求しているものとは解されないが、その点論旨は不明確である。しかし、判例の趣旨をすなおに解するなら、遅滞にある債権者は自らの遅滞の状態を解消せしめるに足る措置を講じた上で（具体的には、受領障害を除去する、または債権関係否認あるいは解消の意思を撤回するなど）、改めて受領の催告をなすことを要するものとみるべきであろう。

賃貸人が賃貸借契約の存続を否認して賃料の受領を拒絶しているようなときは（前掲【13】、【14】、【15】などの場合）、賃貸人の債務は履行されているわけであるから、受領遅滞にある賃貸人とはいえ、その催告に対しては賃貸人はなお直ちに弁済の提供を要すると解しえないでもない。自己の反対給付債務について履行をしないばかりか、弁済の提供すらなしていない債権者の受領遅滞とは区別すべきもののように思われるからである。しかしながら、すでに受領遅滞にある債権者は受領しないことについて責に帰すべき事由があるわけであり（通説の立場に立てば別）、一片の催告をなせば自己の遅滞を解消せしめるだけでなく逆に相手方を履行遅滞に陥らしめる効果があるとすることは、信義則に照し妥当とはいえない。とくに、頑強に債権関係の承継や存続を否認してかかっている債権者の場合、いったん催告をしたとしても、はたして誠意があるかどうか債務者としては疑なきをえないし、拒絶の態度を真に翻意したものであるか否かについて疑問を抱いたとしても無理からぬ場合があるように思われる。もちろん、債権者の拒絶の程度がそれほど強固でないときは、債権者遅滞を解消させるに足る措置も相対的に緩和されることは、これまた信義則の要求するところというべきである。

第三者の債権侵害

三島宗彦

はしがき

第三者の債権侵害をめぐる判例学説の対立論争はすでにかなりの年月を経ている。このうち、不法行為の成否に関する問題についてはほぼ論議も出尽して、判例学説ともに固まりつつあるといつてよい。したがつて、残された問題は主として、債権侵害の場合にも妨害排除請求権を認むべきか否かにかかつている。そして、この問題については、古山「不動産賃借権の対外的効力」本叢書民法(1)においてすでに取扱われている。本稿はこれと重複する部分が少なくないが、各判例について事案をつとめて明らかにしたこと、および最近の学説との関連に及んだことに、若干の意義が認められるのではないかと考えている。

しかしそれにしても、妨害排除権をいかなる限度で認むべきかは法文上の根拠がないだけに判例の理由づけも明確でなく、学説も結局のところ政策的配慮に重点がおかれている現状である。最高裁判例としては一応確立したように見えるものの、今後もなお、批判検討が加えられるであろう。

一　問題の所在

債権は債務者以外の第三者によつても侵害されうるか、すなわち、第三者による債権の侵害は債権者に対して不法行為となるかということは、一つの問題である。けだし、債権は特定人（債権者）が特定人（債務者）に対して一定の給付を請求する権利であるから、債務者が債務の本旨に従つた履行をしないことがその責に帰すべき事由にもとづくときは、債権者は強制履行および損害賠償（債務不履行を理由とする）の請求をなすことができるが、それが第三者の侵害行為にもとづくときは、物権のような絶対権と異なり相対権に過ぎない債権としては、その責任を追及するに由なく、不法行為に因る損害賠償を請求することはできないとも考えられるからである。しかし、また一方では、債権内容の実現は債務者以外に求めることが不可能であるけれども、そのことから直ちに第三者のいかなる侵害行為も債権者としてはなんら責任を問いえないということにはならないと思われるのである。さらに、第三者による特定の侵害行為について不法行為の成立を認めることは、債権の効力を確保する上においても至当なことだからである。

このようにして、第三者の債権侵害による不法行為の成立を肯定した初期の判例・学説は、権利の不可侵性という一般論から直接に債権の不可侵性を導きだしたのであるが、不法行為理論が「権利侵害」に重点を置く立場から「違法性」（保護に値する利益を違法に侵害すること）を重視する立場へと発展するに伴つて、第三者の侵害による不法行為の成立を認める判例・学説はいよいよ確固たる地歩を占めるに至つた。かくして今日においては、第三者による債権侵害も不法行為になりうることについては、判例はもとより、ほとんどの学説の承認するところである。しかし、債権の性質上、いかなる場合に第三者による債権侵害を認むべきかに関しては、今日なお見解は必ずしも一致しない。自由競争を基調とする市民法原理の下にあつては、債権には排他性がないから重複して成立することも可能であるし、債務の履行も原則として債務者の自由意思に任されている。したがつて、既存の債権を侵害する行為も必ずしも不法行為となるわけではなく、それについて違法性ありとするに当つては侵害行為の態様を考察することが必要となつてくる。そして、債権侵害が強行法規または公序良俗に反して行われたような場合にはもとより違法性ありとすることに異論はないが、その他の場合にあつては見解は分れる。

さらに第三者の債権侵害の場合にも、現に侵害行為が継続しているときは、物権侵害の場合の物権的請求権と同様の妨害排除請求権が認められるのであろうか。債権者の立場からはこのような請求権の認められることは望ましいことに違いないが、物権と区別された債権の特質あるいは第三者の立場などを総合的に考慮したとき、物権の場合と同一視して肯定することは妥当でない。判例は当初、権利一般の不可侵性という前提に立つて第三者の債権侵害について不法行為の成立を認めたため、妨害排除請求権の発生をも当然のこととして承認する態度に出た。しかし、判例も現実には、占有または対抗要件を伴つた債権（具体的には不動産賃借権に代表される利用権的債権）についてのみ妨害排除請求権を肯定しており、学説もこの点をめぐつて賛否両論に分れているほか、物権的請求権の本質、占有訴権や債権者代位権とは別個に妨害排除請求権を認めるべき必要性の有無などに関して、それぞれ立場を異にしている。しかも、この問題に関する最高裁判例は最近においてほぼ固まってきたようにも受取られるが、はたして全面的に賛意を表すべきかなお疑問がないわけではない。

以上の概観によって問題の所在点は概ね明らかになったと考える。すなわち、第三者の債権侵害に関する判例の動向を検討する本稿においては、まず、「二　不法行為の成否」について考察し、次いで、「三　不法行為成立の態様」を個別的に検討し、最後に、「四　妨害排除請求権」について論ずることとなる。

二　不法行為の成否

一　相対権を根拠とする否定説

債権は相対権であって、特定人すなわち特定の債務者のみに義務を負わしめるものであり、債務者以外の者に義務を負わしめるものではない、という考え方は、ローマ法以来の通説として広く認められるところであり、今日なおある程度の支持を得ている。判例は後掲の大正四年の二つの大審院判例【3】、【4】を契機として、「対世的権利不可侵の効力は権利の通有性なり」とする立場に立って第三者の債権侵害を肯定するに至ったのであるが、それ以前においては多数の学説と同様にこれを否定していた。

【1】　「第三者カ他人ノ債権ヲ侵害スルコトヲ得ルヤ否ヤハ議論ノ存スル所ニシテ或ハ債権ト雖モ絶対的効

力ヲ有スルヲ以テ之ヲ侵害セル第三者ハ不法行為ノ責任ヲ有スルモノナリト主張セリ債権ノ絶対的効力ヲ認ムルコトハ適切ノ立法ニシテ之ヲ以テ債権ノ保護ヲ全フスル所以ナレトモ我民法ニ於テ債権ノ絶対的効力ヲ認メタリト解スヘキ根拠ヲ発見スルニ由ナシ尤モ我民法ハ第四二三条乃至四二四条ニ於テ所謂間接訴権及廃罷訴権ニ関スル規定ヲ設ケ債権ノ第三者ニ対スル効力ヲ認メタリト雖モ所謂共同担保ノ観念ヲ遺存シ債権ノ効力トシテ右二種ノ権利ヲ第三者ニ対抗スルコトヲ得ヘキコトヲ認メタルニ過キスシテ之ヲ以テ我民法カ債権其物ノ第三者ニ対スル効力ヲ認メタルモノト解スル根拠ト為ス能ハス従テ我民法ニ於テ債権ハ債権者債務者間ノ対人的関係タルニ止マリ絶対的効力ヲ有スルモノニ非サルカ故ニ第三者ハ他人ノ債権ヲ侵害スルコトヲ得ス即チ第三者ニヨル債権侵害ノ不法行為ハ成立スルコト之レナキモノトス」（東京地判大二・三・二九評論二民五二二）。

【2】「債権侵害ニ因リ不法行為カ成立スルヤ否ヤニ付按スルニ凡ソ債権ハ債権者債務者間ノ関係ニ止マリ債権ニ依リテ拘束セラルルモノハ単ニ債務者ノミニ過キスシテ債務者以外ノ第三者ハ何人ト雖モ債権ニ依リテ拘束セラルルコトナシ即チ債権ハ特定ノ債務者ニ対シテノミ之ヲ主張シ得ルニ止マリ債務者以外ノ第三者ニ対シテハ之ヲ対抗スルヲ得サルモノナリ（民法第四二三条、第四二四条ハ債権ノ特種ノ効力トシテ債権ノ第三者ニ及ホス効力ヲ規定シタリト雖モ是レ固ヨリ債権ノ特種ノ効力ニ過キス又民法ハ登記シタル賃借権買戻権ヲ以テ第三者ニ対抗スルヲ許シタリト雖モ是レ法律カ特ニ登記シタル是等債権ニ特種ノ効力ヲ附与シタルモノニ過キス敢テ之カ為メ一般ニ債権ヲ以テ第三者ニ対抗スルヲ得ルモノナリトスルヲ得ス）従テ債権ノ性質上債務者以外ノ第三者ハ債権ヲ侵害スル能ハサルモノナリト断セサル可カラス……故ニ債権侵害ニ依ル不法行為ノ成立ハ到底之ヲ是認スルヲ得ス」（東京地判大二・六・二八評論二民四二七）。

これら二つの判決はいずれも伝統的なドイツの民法学説の影響を受け、当時支配的であつたわが民法学界の通説に動かされたものということができよう。もつとも東京地裁はすでに明治三九年六月二五日の判決（新聞三七四・八）において、「債権ハ単ニ債権者債務者間ノ関係ニシテ一般人ニ対抗シ得ヘキ絶対的効力ヲ有スルモノニアラサルカ故ニ其性質上債務者ノ外之ヲ侵害スルコトヲ得サルモノトス」との立場を明らかにしていた。当時否定説の先頭に立っていた石坂博士は、わが民法典の解釈上債権は相対権たる性質を有するに止まり第三者によって侵害されることをえない、と主張してその論拠を次のように述べる。すなわち、肯定説に立つ一部の学者は、権利不可侵の義務または権利の排外力は権利の本質に欠くべからざるものであって債権においても異なるところがない、したがって債権もまた絶対権であり、一方においては債務者に給付の義務を負わしめるとともに、他方においては一般人に債権を侵害すべからざる義務を負わしめるものと主張している。しかしながら、先天的に債権をもって相対権なりとするのが誤っているのと同様に、一般的不可侵の義務をもって権利の観念に不可欠の要素とする見解も独断である。権利に対し一般人が義務を負うか、または単に特定人のみが義務を負うかは権利の観念に関係するところがないから、法律が特定人のみに義務を負わしめるをもって足れりとする場合においては、それで差支えなく、したがって債権に対し一般人の不可侵義務を認めないとしても権利たる性質に欠けるところはない。要するに債権が単に相対権であるかまたは絶対権であるかは先天的に定めることはできないから、成文法の解釈にまつほかないとして、民法の解釈上相対権説をとらざるをえない根拠（直接の根拠はないから間接に推論するほかないとして）を次のように列挙する。

第一に、債権をもって絶対権とするときは債権と物権との区別がつかなくなり（永小作権や地上権と賃借権とをいかにして区別することができるか）、ローマ法以来の沿革を無視し民法の構成を破壊することになる。具体的には二重売買の場合において、第二の買主は第一の買主の債権を侵害することを承認せざるをえなくなる。第二に、不法行為責任は重いから債務者の債務不履行責任と比較して権衡を失する（不法行為には民四一六条一項の適用なきこと、過失相殺に関する民四一八条と七二二条二項の規定の相違点を前提としたとき）。そのほか、他人間の債権関係の目的物となった物をその所有者が滅失せしめたようなとき（民五六〇条以下）にも、所有者が債権侵害の責任を問われることになるし、特定物売買において目的物を滅失せしめた第三者は売主たる所有者と買主たる債権者に二重の賠償責任を負う結果にもなる（石坂・日本民法三編一〇頁、同・民法研究下一三頁）。もっとも石坂博士も、民法中に絶対権的効力を認めた例外的規定として六〇五条のあることを指摘し、さらに立法論としては、そのような効力を有せしめる必要ある場合として、労務契約違反ことに労務者の誘拐、ストライキの教唆をあげていたから（民法研究下三八頁）、判例や岡村博士の見解（「第三者ノ債権侵害」京法一一巻一一号・一二号）ほどに強固な否定説というには当らなかった。民法七〇九条の規定が不法行為のすべての場合を網羅しているというべきか、権利侵害あるにあらざれば不法行為は成立せざるかの問題は、第三者の債権侵害と関連して研究する価値があると結んでいるあたり、かなり含みをもたせた主張であったといえよう。

二　権利不可侵性説

否定説に立つ判例や学説が有力であった大正初期において権利の不可侵性を強調して不法行為の成立を積極的に論じたのは末弘博士であった（「第三者ノ債権侵害ハ不法行為ナルヤ」法曹記事二四巻三―五号）。そして大正四年、大審院判例【3】、【4】が相次いでこれを肯定する態度に出たことは、一つの転機を形成した。【3】の事案はこうであった。所有者Xから立木を二万円以上でなるべく高価に売却すべきことの委任を受けたABC等が、右立木を二七、〇〇〇円で買受ける意思のあるDの代理人Yと共謀し、売主Xには代金を二一、〇〇〇円と称してDに売却し、その差額六、〇〇〇円をA等が着服したのであった。A等およびYの背任被告事件の附帯私訴において、XはYに対し不法行為にもとづく損害賠償を請求したところ、原審は、Yは右委任契約の第三者であるから、たとい右契約より生ずる債権を侵害したとしても不法行為にならないとしたのに対し、大審院は次のように論じて、不法行為の成立を認めた。

【3】「債権ハ特定ノ人ニ対シ特定ノ行為ヲ要求スルコトヲ得ヘク債務者以外ノ第三者ハ毫モ其要求ニ応スルノ義務ナキコトハ言ヲ俟タサル所ナレトモ凡ソ権利ナルモノハ親権夫権ノ如キ親族権タルト物権債権ノ如キ財産権タルトヲ問ハス其権利ノ性質内容固ヨリ一ナラスト雖モ何レモ其権利ヲ侵害セシメサルノ対世的効力ヲ有シ何人タリトモ之ヲ侵害スルコトヲ得サルノ消極的義務ヲ負担スルモノニシテ而シテ此対世的権利不可侵ノ効力ハ実ニ権利ノ通有性ニシテ独リ債権ニ於テノミ之カ除外例ヲ為スモノニアラサルナリ世上往往債権ハ唯債務者ヲシテ或行為ヲナササシムルコトヲ得ルニ止マリ広ク第三者ニ対シテハ何等ノ効力ヲ及ホスモノニアラサルコトヲ論スル者ナキニアラスト雖モ此レ頗ル失当ナリ債権ノ内容タル或特定ノ行為ハ固ヨリ債務者ニ対シテノミ之ヲ要求スルコトヲ得ヘク当事者以外ノ第三者ニ対シテ之カ要求ヲナスコトヲ許ササルハ言ヲ俟タサル所ナレトモ苟モ権利トシテ法律ノ保護ヲ与フル以上ハ他人ヲシテ其権利関係ヲ侵害セシメサル対世的効力ヲ認ムルノ必要ナルコトハ明ニシテ其権利ノ物権タルト債権タルトニ依リテ之カ等差ヲ設クヘキ理由ナキモノト謂ハサル可カラス若シ之ニ反シ第三者ハ他人ノ有スル債権ニ就キ権利不可侵ノ義務ナキモノトセンカ債権ハ常ニ第三者ノ為メニ蹂躙セラレ債権ノ存在ヲ認メタル法ノ精神ハ終ニ之カ貫徹ヲ期スルコト能ハサルニ至ルヤ明ナリ是ヲ以テ若シ第三者カ債務者ヲ教唆シ若クハ債務者ト共同シテ其債務ノ全部又ハ一部ノ履行ヲ不能ナラシメ以テ債権者ノ権利行使ヲ妨ケ之ニ依リテ損害ヲ生セシメタル場合ニ於テハ債権者ハ右第三者ニ係リ不法行為ニ関スル一般ノ原則ニ依リ損害賠償ノ請求ヲナスコトヲ得ルモノトス」（大判大四・三・一〇刑録二一・二七九）。

第二の事件は、債務者Aの動産の仮差押をしようとして債権者XがAの住所に赴いたところ、すでにAとYとが共謀して虚偽の債権を作つてAの動産に仮差押をしておつたので、Xは僅少の物件に対してしか仮差押をなすことをえなかつたため、右損害の賠償を請求した事件である。大審院は、次のように、傍論として債権侵害が不法行為になることを認めながらも、本件の事実は、動産がAからBの所有に移つたものとしてYは仮差押をしたものであるから、不法行為にならないとした。まず上告論旨の中でこの点に言及している部分から紹介しておこう。すなわち、「原院の確定した事実によれば、A等は共謀し不正の手段を施し故意にX等の権利を侵害したものである。ところで、債権侵害については従来学説の一致しないところであるが、X代理人の信ずる法理観念によれば、権利に絶対権と相対権の区別があつて債権は後者であるが、権利である以上何人もこれを尊重すべきであり侵害することを許すべきではない。したがつて債権関係の発生したときは世人は一般にその関係を尊重し侵害すべからざる消極的義務を生ずるものであり、この点より債権に随伴して絶対的効力が生ずる。さらに、民法七〇九条に不法行為の原則を示し、七一〇条には身体、自由または名誉を害したる場合と財産権を害したる場合とを問わないとあり、財産権中より債権を除外した規定でないから、民法の解釈としてもこれを包含するのが適当である。またそうでなければ、本件のような場合には債権者を救済する途が全くなくなる」というのがX代理人の主張であつた。これに対し大審院は、一般論としては全面的にこれを肯定した。

【4】　「権利ハ法律上ノ力ナレハ権利者カ権利ヲ行使シテ其内容タル力ヲ実現スルコトハ他人ニ於テ之ヲ侵

害スルコトヲ許スヘキニアラス若シ之ヲ侵害スルコトヲ許スモノトセハ権利ノ内容ハ全ク若クハ十分ニ之ヲ実現スルコトヲ得サルコトトナリ権利ハ有名無実ノモノタルニ終ラン故ニ苟モ権利ノ内容ニシテ形成権ノ如ク事実上他人ニ於テ侵害ヲ加フルコトヲ得サル性質ヲ有スルモノニアラサル限リハ其支配権タルト請求権タルトヲ問ハス法律ハ他人ニ於テ之ヲ侵害スルコトヲ許ササルモノナリト謂ハサルヘカラス玆ヲ以テ特定人ノ特定ノ行為ヲ請求スルヲ主タル内容トスル債権ト雖モ他人ニ於テ之ヲ侵害スルヲ許サス若シ故意過失ニ因リ違法ニ之ヲ侵害シタルトキハ不法行為ノ責アルハ上告人所論ノ如クナレトモ……」（大判大四・三・二〇民録二一・三九五）。

右二つの判例の出現によつて、債権侵害による不法行為の成否をめぐる判例の動向は定まつた。もつとも、これ以前においても不法行為の成立を肯定する以下のような判例がなかつたわけではないが、いずれも下級審判例であつたし、その論旨もそれほど明快というわけではなかつた。

【5】「所謂債権ハ内部ニ於ケル債務者ニ対スル効力ヲ有スルト同時ニ外部ニ於ケル第三者ニ対スル効力トヲ併有スルモノニシテ債権者カ債務者ニ対シ債権ノ目的タル給付ヲ為サシムルコトヲ得ルハ債権ノ内部ノ効力ナリ又タ債権者カ第三者ヲシテ債権ノ内容タル債務関係ヲ害セサラシムルコトヲ得ルハ債権ノ外部ノ効力ナリ従テ債務者ハ債権者ニ対シ給付ヲ為シ其債務ヲ履行スルノ責アルカ故ニ若シ債務者ニシテ其故意又ハ過失ニ因リテ債務ノ履行ヲ不能ナラシメタルトキハ債権者ニ対シテ不履行ニ基ク損害賠償ノ責ヲ負ヒ又タ第三者ハ債権者ニ対シ債権ノ内容ヲ害セサルノ責アルカ故ニ若シ第三者ニシテ其故意又ハ過失ニ因リテ債務ノ履行ヲ不能ナラシメタルトキハ債権ヲ侵害シタルモノトシテ債権者ニ対シ不法行為ニ基ク損害賠償ノ責ヲ負フヘキモノトス」（東京控判明三七・三・一五新聞二〇〇号一〇頁）。

【6】「債権ノ外部関係ハ物権其他ノ所謂絶対権ト同一ニシテ第三者ハ他人ノ債権関係ヲ尊重スルノ義務ヲ負フモノトス若シ第三者カ其外部関係ニ於ケル義務ニ違反シ債権ヲ侵害シテ損害ヲ加ヘタルトキハ民法七〇九

条ノ所謂他人ノ権利ヲ侵害シタル不法行為ニ該当シ之カ損害賠償ノ責任ヲ負ハサルヘカラス」（宮城控判明四二・一〇・二九彙法六号五頁）。

これに比べると、大正四年の二つの大審院判例【3】【4】は末弘博士等の説く権利の不可侵性説に立つて論拠を明らかにしているだけに、その後の判例に与えた影響は大きかつた。もつとも、大審院は引続いてこれを肯定する判例を展開していつたが、その論拠を詳細に説くことはなく、専ら右の先例に依拠するのみであつた。したがつて、その後の判例は、いかなる場合に不法行為の成立を認むべきかの問題を追つていつたに過ぎなかつた。たとえば、

【7】「婚姻ノ予約ハ将来ニ於テ婚姻ヲ為スヘキコトヲ目的トスル契約ニシテ……而シテ予約者ノ一方カ予約ヲ解除シタルトキハ他ノ一方ニ婚姻ヲ為スコトヲ求ムル権利消滅スヘシト雖モ苟モ予約ノ解除セラレサル限リハ他ノ一方ハ此権利ヲ失フヘキ筋合ナク且此権利ハ第三者ニ対抗スルコトヲ得ルモノトス何トナレハ凡ソ権利ハ形成権ノ如キ事実上他人ニ於テ侵害ヲ加フルコトヲ得サル性質ヲ有スルモノニアラサル限リハ親族法上ノ権利ナルト物権債権ノ如キ財産権ナルトヲ問ハス何レモ対世的効力ヲ有シ第三者ハ之ヲ侵害スルコトヲ得サル消極的義務ヲ負担スルモノナレハナリ故ニ第三者カ婚姻予約ノ効力存続中故意若クハ過失ニ因リ予約者ノ一方ヲシテ他ノ一方ト婚姻ヲ為スコトヲ得サラシメタルトキハ予約者ノ一方ノ如上ノ権利ヲ侵害シタルモノナレハ不法行為ニ関スル規定ニ従ヒ之ニ対シ其被リタル有形無形ノ損害即チ財産上ノ損害又ハ財産以外ノ損害ヲ賠償スルノ責アルモノトス」（大判大八・五・一二民録二五・七六〇）。

【8】「債務ノ目的カ第三者ノ故意又ハ過失ニ基ク行為ニ因リ滅失シタル為メ履行不能ト為リ債務カ消滅シタル場合ニ於テ第三者ノ行為カ不法行為ヲ成スヘキモノナルコトハ夙ニ本院判例ノ示ス処ナリ従テ斯ル場合債務者カ不法行為者タル第三者ニ対シ損害賠償ノ請求権ヲ有スルト否トニ拘ラス債権者ハ其債権侵害ヲ理由トシ

自己固有ノ権利ニ基キ直接ニ不法行為者ニ対シ損害ノ賠償ヲ請求スルコトヲ得ヘキモノニシテ債務者カ第三者ニ対シ有スル賠償請求権ノ移転ヲ受ケ若ハ債務者ニ属スル右権利ヲ行使スルノ方法ニ依ルニ非サレハ自己ノ権利ノ救済ヲ得ルニ由ナキモノト解スルヲ要セス斯ル解釈ハ動モスレハ第三者ノ債権侵害ヲ否定スル嫌アルコトト為リ本院判例ノ趣旨ニ牴触スル虞アルノミナラス債務者ノ第三者ニ対シテ有スル権利ノ価額カ債権者ノ権利ヲ満足セシムルニ足ラサル場合ノ如キ債権者ハ完全ナル救済ヲ受クルヲ得サルコトト為ルヘシ若シ此場合其不足額ニ付テハ債権者ハ直接ニ不法行為者ニ対シ求償スルヲ得ヘキカ故ニ現実ニ損失スル所ナシト謂ハンカ這ハ論旨自体ニ矛盾ヲ蔵スル嫌アルノミナラス斯ル煩瑣迂遠ナル方法ニ依ルニ非サレハ権利ノ満足ヲ期スルヲ得サルモノト為サルヲ得サル何等法律上ノ根拠ナク寧ロ債権者ヲシテ債務者ニ関係ナク直接ニ其権利ヲ行使スルヲ得セシムルヲ以テ取引ノ実際ニ於ケル正当ノ要求トシテ法ノ本旨ニ適合スルモノト為サルヘカラス」（大判大一一・八・七刑集一・四一〇）。

このように、判例は一貫して、対世的権利不可侵の効力は権利の通有的性格であるから、債権の場合も（【7】のケースは債権に関するものではないが、その論旨は同一であり、債権の不可侵性にも言及している）その例外でないことを強調する。これらの判例が末弘博士等の所説に従つていることは、前に触れた通りである。したがつて、【3】、【4】の判例が出た後の論文において、末弘博士が大審院の態度に満足を表し、わが意を得たりといつたことも当然のことであつた。博士等当時の肯定説がシュタウプの理論の承認の上に立つていたことは周知の事実であるが、その論旨は大要次のようであつた。従来の通説が、所有権その他の物権が対世権ないし絶対権であるに反し、債権は特定人を相手方とする権利すなわち対人権ないし相対権であるとして区別するが、このような区別は学問上決して正確なものとはいえない。物権が債権と異なる特質は、排他的に物の直接支配をなすことを内容とする点、したがつて、一物上に二個以上の同種の権利が成立しえないという意味での排他性にあるのであつて、不可侵性にはない。物権者が物を支配することを第三者が妨げてはならないのと同様に、債権の場合にあつても、債権者の債務者に対する権利行使を第三者が妨げてならないのは当然の事理である。このような意味での権利の不可侵性を犯す者が違法であることは当然であり、第三者が負う不可侵義務に違反したときは不法行為責任が生ずる。債権に排他性がないからといつて、不可侵性をも否定することは誤りである(法曹記事二四巻三号五号、法学志林一七巻一〇号・一二号)。

また、大審院判例出現後改説した鳩山博士の論拠はこうであつた。債権は性質上相対権であるとか絶対性を有しうるということはできない。結局この問題は成文法の解釈問題に帰着する。ところで、民法はこの点に関し直接の規定を設けていないが、(イ)第七〇九条は広く権利と規定して別に制限を設けていないこと、(ロ)債権もまた事実上第三者において侵害しうること、(ハ)債権に有力な効力を認めることは近世における取引の需要に適するものであること、等を参酌して肯定説をとることとしたい、と(日本債権法(総論)六頁)。

三　現在の肯定説

従来の不法行為理論は、客観的要件たる「権利侵害」を検討するに当つては権利の概念に固執してきたが、著名な「大学湯事件」(大判大一四・一一・二八民集四・六七〇)を契機として、法律上保護すべき利益の違法な侵害があれば足りると解するに至り、権利侵害よりも違法性を中心に考える方向へと発展していつた。これに伴つて、債権侵害の成立を肯定するに当つても、債権が物権と同様の絶対的権利であるとか、不可侵性は権利の通有的性格であるとか主張して、その理論付けに腐心する必要はある程度減じた。右判決においても大審院は、「民法七〇九条ハ故意又ハ過失ニ因リテ法規違反ノ行為ニ出テ他人ヲ侵害シタル者ハ之ニ因リテ生シタル損害ヲ賠償スル責ニ任スト言フカ如キ広汎ナル意味ニ外ナラス其ノ侵害ノ対象ハ或ハ其ノ所有権地上権債権無体財産権名誉権等所謂一ノ具体的権利ナルコトアルヘク或ハ此ト同一程度ノ厳密ナル意味ニ於テハ未タ目スルニ権利ヲ以テスヘカラサルモ而モ法律上保護セラルル一ノ利益ナルコトアルヘク否詳ク言ハハ吾人ノ法律観念上其ノ侵害ニ対シ不法行為ニ基ク救済ヲ与フルコトヲ必要トスト思惟スル一ノ利益ナルコトアルヘシ」と述べて、間接的にこのことに言及していた。このような立場をさらに展開して不法行為理論の発展において画期的役割を果した末川博士の論旨は、次のようであつた。すなわち、債権も物権その他の権利と同じように部分的法律秩序を形成するものであり、また今日ではそれ自体独自の存立を有するものとして取扱われる傾向が増しているから、その存立において、またはその行使において第三者によつて侵害されうるものであり、かつこれを侵害することは法律の是認しえないところである。したがつて、その侵害は一般に違法と評価さるべきである。このように違法と評価される場合に、通説の主張する、債権を侵害してはならない義務や不可侵性が認められるのである。ただし、債権の構造上、第三者の侵害が違法だと評価されるに値しない場合には、不法行為の成立が認められないことがある。だから厳密に言えば、通説のように債権は権利であるからという理由だけで、直ちに第三者の不可侵義務を認め、それを根拠にして第三者による債権侵害の可能を断ずべきではなく、すなわち不可侵義務があつて後に債権侵害が認められるというように解すべきではなく、むしろ逆に、第三者による債権侵害の可能は債権自体の構造によつてこれを決し、それが可能であるが故に違法と評価される場合には、第三者の不可侵義務が認められるのであるというように解すべきである、と（権利侵害論三三一一―三三六頁）。

また我妻教授は、従来の肯定説や末川博士の理論的成果を踏まえた上で次のように説かれる。第三者による債権の侵害なることは観念上可能であるのみならず、法律がこれを禁じ侵害者に対して不法行為に因る損害賠償の義務を認めることは、債権の効力を確実にする上において至当なことである。したがつて、この意味における絶対性（対世的性質）はすべての権利に共通の性質であつて、物権の特有性となすべきではない。もつとも物権を権利として認めんがためには、すべての人に対して侵害を避止する義務を認めることは必然の要件である。これに反し、債権においては、債務者に対する請求権能のみを法律的効力あるものとなし、第三者の侵害はこれを不問に付するもなお債権は権利たる性質を失わないであろう。また第三者の債権侵害を不法行為とするに当つても、その侵害ありとなさんがためには、債務者の自由意思との関連においてその要件を吟味する必要がある。この意味においては、絶対性は物権にとつては不可欠の性質なるも、債権にとつては然らず、ということを妨げない、と（債権総論八頁以下）。

これを要するに、現在の通説たる肯定説も権利不可侵性説の影響を受け、その流れの中にあるといつて差支えあるまい。ただ、債権の物権と異なる特殊性をも十分に考慮した上で違法性の限界を究明し、精密な理論を樹立しようとしている点に特徴があるし、妨害排除請求権との関連についても慎重に考慮している点で理論の発展がみられる（現在なお否定説に立つている川島教授もドイツ民法の立場に準じて個別的に不法行為の成立を認められるから、結局程度の差に過ぎない。基本的な対立点は妨害排除請求権の問題にある）。

三　不法行為成立の態様

上述のように、債権も第三者によつて侵害可能であり、しかも第三者のかかる行為は一般に違法とされることは、今日広く承認されるところである。しかし、物権と異なり債権には排他性がないから、第三者の行為が形式的には債権の侵害になるようなときでも、その行為が今日の市民法原理によつて妥当視されるものである限り不法行為とならないこともまた、忘れてならないところである。すなわち、第三者が既存の債権と同一内容の債権を取得することはなんら差支えないことであるから、すでに売買契約の目的物となつている物についても第三者が二重の売買契約を結んで第二の買主となることは自由である。また、他人の雇用している労働者を引抜きの目的で重ねて雇入れることも、あるいは他社との間に出演契約を結んだ俳優と重複して出演させる契約をなすことも、他に違法性のない限り（この点は後述）なんら妨げない。したがつて、このような場合には第三者の債権も有効に成立するから、第三者がみずからの債権を行使して債務者に給付をなさしめ、第一の債権者の満足を得しめなくなつたとしても、債権侵害としてその責を問われることはない。この場合、第一の債権者と第二の債権者（前者にとつては第三者）とはともに同一の債務者に対する同一内容の債権者として、自由競争の関係に立つものだからである。それ故、第三者の行為が債権侵害として不法行為の責任を問われるのは、第一に強行法規または公序良俗違反等の違法な手段によつてなされた場合に限定されることとなる。

判例は大正四年の前記大審院判例以来、第三者によつても債権が侵害されうることを強調するあまり勢あまつて、「対世的権利不可侵ノ効力ハ実ニ権利ノ通有性ニシテ」(前掲【3】参照)と述べ、債権者の権利行使に対しては第三者はいかなる場合にも侵害することを許されないかのように説いている場合が多い。けれどもそれは一般論としてであつて、具体的な適用の場合になると、判例もかなり限定的であり、これらの事情を考慮しているもののようである。ところで、不法行為成立の主観的要件たる侵害者の故意過失についても、債権にあつては特別の考慮を必要とする。債権は一般に公示方法を欠いているから、侵害者が債権の存在を認識しておらず、またそのことについて過失もないという場合も少なくない。したがつて、債権侵害による不法行為の成立は事実上、故意による債権侵害の場合にしぼられてくる。判例として問題になつた事案の多くもまたこの種の場合である。これらの点を念頭におきながら、侵害行為の態様別に不法行為の成否を検討することとしよう。

三　不法行為成立の態様

一　債権の帰属を侵害した場合

(一)　債権者以外の者が、債権の準占有者(民四七八条)または受取証書の持参人(民四八〇条)として弁済を受領し(後掲【19】参照)、それによつて債権を消滅せしめた場合、他人の無記名債権証書を毀滅しまたは善意の第三者に取得せしめた場合、および表見代理人として債権を処分した場合など、債権者は第三者の行為によつて債権自体を失うことになる。これらの場合には、債権者は第三者との関係いかんによつて、あるいは債務不履行または不当利得による救済を受けることが可能である。否定説はこれらの救済手段の認められることで十分だと主張するが、それらの救済手段の存在することは不法行為の成立を妨げるものではない（不当利得返還請求権と不法行為による損害賠償請求権とでは、その範囲が異なることを考慮せよ）。ただし、不法行為責任と契約責任との競合を認めない立場（加藤・不法行為四六頁以下参照）では、債務不履行が成立する限り、不法行為の成否を問題とする必要はないことになる。

（二）　これに反し、第三者が債権証書を毀滅したり債務者にこれを返還したときは、それだけでは債権は消滅しないから（証券的債権の場合は別個の取扱いをなすべきこと前述の通り）不法行為とはならない。このことに関しては、少し古いが次のような判例がある。

【9】「上告人Xハ其債権ヲ証スル証書ヲ被上告人Yカ訴外人（債務者）Aニ返還シタル行為ヲ以テ直チニ其債権ヲ毀損セラレタリト為シ本件ノ請求ヲ為スモノナレトモ手形ノ如キ法定ノ流通証書ニシテ手形上ノ債権者カ之ヲ喪失シタルヨリ其権利ヲ執行スル能ハサルコトアル場合ト異ナリテ普通ノ債権証書ノ如キハ全ク債権ヲ証明スルノ用具タルニ過キサルヲ以テ縦令ヒ其証書ヲ喪失セシムルモ之カ為メ債権者トシテ其権利ヲ執行スルコトヲ得サルモノニアラス是故ニ他人ノ債権証書ヲ保管シタル者カ何等ノ原因ナク不法ニ且ツ恣ママニ之ヲ債務者ニ返還シタレハトテ唯タ此返還ノ一事ヲ以テ法律上其債権ヲ消滅セシメタルモノト為シ直チニ其保管者ヲシテ債権額賠償ノ責務ヲ負ハシムルコトヲ得ス」（大判明三四・七・三民録七・一四）。

（三）　次に一応問題となるのは二重譲渡その他の二重契約に関してである。しかし、すでに債権（財産権移転請求権）が存在することを知りながら、第三者がそれと同一内容の債権を取得し、先に対抗要件を備えたとしても、そのような第三者の行為は原則として不法行為にならない。その場合、譲渡の目的物が物権であろうと債権であろうと異なるところはない。けだし、債権が円滑にその目的を達することができない直接の原因が債務者の不誠実にあるときは、もっぱら債務不履行の問題として処理すべきであり、間接に第三者の行為が原因となっていたとしても債務不履行の縁由に過ぎず不法行為責任を問うべき理由はないからである。たとえば、第三者の行為が自由競争の範囲内の事柄であれば、二重譲受の場合に限らず、すでに他人が雇用・委任している同一債務者と二重に契約をしてこれに履行させたような場合にも、権利の行使として違法性がないのが原則である。ただし、第三者の行為が詐欺・強迫のごとき強行法規違反ないしは不正競業のごとき公序良俗違反になるような場合には、違法性を帯び不法行為となるものといわねばならない（我妻・総論五六頁　吾妻・債権法五五頁）。

判例はかなり以前に、ＡＸ間の試掘権譲渡契約に立会つてその内容を知つている第三者Ｙが、Ａの登録前に譲渡人Ａと共謀して同一の試掘権を第二の買主Ｂに売却せしめ、かつ登録を終了せしめた事件において、一般論として悪意のＢに不法行為責任がないことを述べた上で共謀者Ｙにも責任のないことを判示している。

【10】　「民法ノ物権総則ニ規定スル所ニ依レハ不動産ニ関スル物権ノ得喪及ヒ変更ハ其登記ヲ為スニ非サレハ之ヲ以テ第三者ニ対抗スルコトヲ得サルモノトシ其登記ヲ為スニ於テハ当事者ノ意思ノ善悪ニ拘ラス之ヲ適法トシ物権ノ得喪変更ヲ以テ第三者ニ対抗スルコトヲ得ルモノトス是ヲ以テ同一ノ不動産所有者カ其不動産ヲ二重ニ売買シタル場合ニ於テ前ニ買受ケタル者カ登記ヲ為ササル間ニ後ニ買受ケタル者カ当初ヨリ前ノ買主アルコトヲ知リテ登記ヲ為シタル場合ニ於テモ其登記ハ適法ニシテ後ノ買主ハ其不動産ノ所有権取得ヲ以テ前ノ買主ニ対抗スルヲ得ルコトハ疑ヲ容レサル所ナリ然ルニ若シ此場合ニ於テ後ノ買主ハ悪意ニテ買受ケ登記ヲ為シ以テ前ノ買主ヲ害シタルカ故ニ不法行為ノ責ニ任スヘキモノトセンカ一面ニ於テ其所有権取得ヲ以テ前ノ買

主ニ対抗スルコトヲ得ルモ他ノ一面ニ於テ前ノ買主ニ対シ不法行為ノ責アルカ為メニ其得ル所ハ有名無実ニ帰シ……民法ノ立法趣旨ニ反スルモノト謂フ可シ故ニ右設例ノ場合ニ於テ後ノ買主ハ其悪意ニ出テタル売買ニ因リ前ノ買主ヲ害スルモ之ニ対シ不法行為ノ責ナキモノト断定スルヲ相当トス従テ鉱業権ノ譲渡ニ付テモ同一ノ断定ヲ為スヘキモノナルコトハ前示鉱業法ノ規定上明ナリ本件ニ付キ……上告人X〔第一ノ買主〕主張ノ事実ニ依レハ……前設例ノ場合ト異ナル所ハ唯被上告人Yカ前譲渡契約ノ内容ヲ知リAト共謀シテ後ノ譲渡契約ヲ為サシメタル一事ナリ若シ被上告人Yカ悪意ニテ自ラ之ヲ譲受ケ登録ヲ経タリトセハ前設例ノ場合ト全ク同一ニシテ被上告人Yニ不法行為ノ責ナキコトハ前ニ説明シタルカ如シ既ニ悪意ニテ直接ニ自ラ譲受ケタル場合ニ不法行為ノ責ナキニ於テハ間接ニ他ニ譲渡セシメタル場合ニ却テ不法行為ノ責アリト論スルコトヲ得サルハ当然ノ事理ナレハ本件ノ場合ニ於テモ被上告人ニ不法行為ノ責ナキモノト謂ハサルヲ得ス」（大判明四四・一二・二五民録一七・九一四）。

この判決が、悪意の第二の買主に不法行為責任のないことを述べている部分は異議がないけれども、二重譲渡を共謀した前の契約の立会人をもこれと同視している点には問題があつたというべきである。その後、この系列にある判例は見当らないが、近年、最高裁はこの理論を踏襲する態度を明らかにした。

【11】（事実）「原判決の認定した事実は次の三点である。(1)被上告人Xが訴外Aとの売買契約により本件建物の所有権を取得しその登記を経ないうちに、上告人YにおいてAの相続人Bから右建物を譲受けて登記を経由したこと、(2)上告人YがBに対し、同人の相続によつて承継した被上告人Xに対する売買契約上の債務の履行を引受けたこと、および、(3)上告人Yがその後右建物をCに売却しその登記を経由したこと。

（判旨）「右認定によれば、上告人Yは不動産のいわゆる二重売買における第二の買主であつて、しかも第一の売買の事実を知りながら（悪意で）買い受けたものに外ならないけれども、一般に不動産の二重売買における第二の買主は、たとい悪意であつても、登記をなすときは完全に所有権を取得し、第一の買主はその所有権取得をもつて第二の買主に対抗することができないものと解すべきであるから、本件建物の第二の買主で登記を経たCに対抗することができないことは、当然の筋合というべきである。したがつて、上告人が悪意で本件建物を買い受けその登記を経由しこれを更にCに売り渡してその登記をなしたというだけでは、たといこれがため被上告人Xがその所有権取得をCに対抗することができなくなつたにしても、いまだもつて上告人に不法行為の責任を認めるには足らないものといわなければならない。思うに、原判決が前記(2)の事実すなわち上告人はBに対し同人の被上告人に対する本件建物の売買契約（第一の売買）上の債務の履行を引き受けたとの事実を認定し、この事実を一の資料として上告人に不法行為責任を認めたのは、かかる事実の加わることによつて始めて上告人の前記一連の行為が違法性を帯び不法行為を構成するとの見解に出でたもののように推測されないことはないけれども、判文簡略にすぎてその意をつくさないうらみがあるばかりでなく、仮に右の如き趣旨とすれば、前記(2)の事実は本件不法行為の成否を決するにつき極めて重大な関係ある事実というべきところ、本件当事者が原審においてかかる事実を主張した事跡は記録上全くこれをうかがうことはできないから、原判決は当事者の主張しない事実を認定しこれにもとずいて請求の当否を判断した違法があるに帰する。またもし原判決の趣旨が右と異なり、他の理由によつて不法行為の成立を認めるにあるものならば、原判決はその理由をつくさない違法があるとなさざるをえない。」（最判昭三〇・五・三一民集九・六・七七四）（判批、末川・民商三三・四、藪・北法七・三―四）。

右の判旨に対しては、悪意の第二の買主に不法行為責任のないことから直ちに売主と共謀した第二の買主の不法行為責任まで否定する根拠はない、とする批判がある。すなわち、民一七七条の第三者について善意悪意を問わないとする判例・通説の見解は、不動産取引の混乱を防止しようという政策技術的考慮にもとづいているから、不動産取引法上第三者の悪意と共謀とを区別する意味はないといえるが、不法行為法上は別個に取扱い、後者についてはその責任を認めても一向差支えないことだとする（藪・前掲参照）。

（四）　二重売買と類似するものに一手販売契約の侵害がある。債権の帰属を部分的に侵害する場合といえる。これに関しては次のような最近の下級審判例がある。

【12】「原告Xは、被告会社Yは原告とA苺組合との間に昭和三四年度産苺ジャム用原料苺について一手販売契約が結ばれていることを知りながら昭和三四年五月から六月までの間に右組合から苺ジャム用原料苺をへタ取り換算一三二九貫一二〇匁以上を買取り、原告が一手販売契約にもとづき右組合から同量の苺を買取る権利を侵害したものであるから、被告会社は原告がこれによつて被つた損害を賠償する義務があると主張する。しかし、現在の取引は自由競争を建前としているのであるから、ただ単に組合が原告と一手販売契約を結んでいることを知つて組合から一手販売契約の目的たる苺を買取つたというだけでは、法を超えた道義の立場からする非難は別として、他に特別の事情のない限り法律上これを違法な取引というわけにはゆかない。このことは、いわゆる不動産の二重売買の場合すでに売買がなされていることを知つてその目的物を買受けた第二の買主も、信義則に違反する等の特別の事情のない限り、その対抗要件を具備することによつて完全に所有権を取得するものとされていることからも容易に首肯できるところであると思われる。原告は当裁判所の釈明に対して被告会社は一手販売契約の存在を知つてこれを侵害したもので、他に特別の違法事由はないというのであるから、被告会社の本件の苺の買取行為は違法性を欠き、不法行為にならないものといわなければならない。」（東京地判昭三五・五・二四判時二二六）。

特定物売買における悪意の第二の買主でさえ、他に特別の違法事由がない限り不法行為の責任は負わないのであるから、一手販売契約の存在を知つてこれを侵害しただけでは違法とならない、とする判旨にはもとより異論はあるまい。このような場合は、売主に契約不履行の責任を問うほかはないが、取引の自由という大原則の前には致し方のないことである。

二　給付を侵害した場合

（一）　給付侵害によつて債権が消滅した場合

たとえば特定物の引渡を目的とする債権について、第三者がその目的物を滅失せしめたときは、債務者の責に帰すべからざる履行不能となつて債権は消滅する。この場合、当事者間では危険負担の問題が生じ買主はなお代金を支払わねばならないことになるが（民五三四条）、買主たる債権者は目的物を滅失せしめた第三者に対してその損害賠償を請求することができるし、そのほか転売などによつて得べかりし利益の喪失についても予見可能性の存した限度で賠償を請求できるはずである。

前掲【8】の事件では、上告人Xは訴外A等に対し、その担当した行政訴訟の成功報酬として立木を貰い受けるべき債権を有していた。ところが、その事情を承知している被上告人Yは同じ山林の残りの立木を買受けたことを奇貨として、右立木を自己の立木とともにBに売却したところ、Bは直ちにこれを伐採し尽した。原審は、XからYへの損害賠償請求に対して、A等自身Yに対し損害賠償請求権を有するから、Xはこれを譲受けるか、または代位によつて債権の救済を求むべきで、直接にYに対し賠償請求権を行使することはできないとしたが、大審院は、かかる場合債務者が不法行為者たる第三者に対し損害賠償の請求権を有すると否とに拘らず、債権者は自己固有の権利にもとづき直接に不法行為者に対し損害賠償の請求ができるとした。そうでなければ、債務者の請求権の価額が債権者の権利を満足せしめるに足りない場合には債権者は完全な救済を受けることができなくなるし、不足額については直接不法行為者に請求を認めるというのであれば、最初から直接に請求することを許す方がはるかに勝つている、またそのような解釈をとりえないという法律上の根拠もなんらない、と理由付けした。さらに、そのような立場では、第三者は二重賠償の負担を負わされることになりはしないかとの非難に対しては、次のように答えてその理由のないことを明らかにした。

【13】【8】と同一事件。「勿論斯ク解スルニ於テハ一面債権者ノ第三者ニ対スル賠償請求権ヲ認容スルト共ニ他面債務者ノ賠償請求権ヲモ否定スルヲ得サル結果第三者ヲシテ二重ノ負担ニ苦シマシムルニ到ルカ如キ観ナキニ非ス……然レトモ第三者カ一度債権者ニ対シ其ノ賠償ノ請求ヲ満足セシメタリトセハ縦令爾後ニ於テ債務者ノ請求アルモ之ニ応シ重ネテ賠償セサルヲ得サル理由ナキコトハ正義公平ノ観念ニ照シ当然ナルヘク又債務者ニ於テモ債権者ニシテ満足ヲ得タル以上恰カモ之ニ対シ其ノ本来ノ義務ヲ履行シタルト同一ノ結果ヲ見ルヘク更ニ第三者ニ対シ自己カ債権者ニ給付スヘキ目的物ヲ滅失セシメタルニ因リテ生シタル損害ノ賠償ヲ主張スヘキ何等実益ナキヲ以テ其ノ請求ハ理由ナキ事ト為ルヘシ又若シ第三者カ先ツ債務者ノ請求ニ応シ之ニ対シ其ノ損害ヲ賠償シタリトセンカ債務者ハ其ノ得タル代償ヲ債権者ニ交付スルヲ要スルハ民法第五百三十六条第二項但書ノ立法ノ精神及正義ノ観念ニ照シ之レ亦疑ヲ容レサルヲ以テ債権者ハ少クトモ其ノ代償物ノ価額ノ限度ニ於テ第三者ニ対シ賠償ノ請求ヲ為スノ要ナキコトト為ルヘシ果シテ然ラハ第三者ニ重複賠償ノ責任ヲ招来スヘキ理由ヲ以テ前顕説明セル当院ノ解釈ヲ否定スル資料ト然スニ足ラサルヤ明ナリト謂フヘシ」（大判大一一・八・七刑集一・四一〇）。

右の場合と異なつて債権の目的が債務者の作為自体であるときも、第三者が拘禁などしてその履行を妨げたときは不法行為となる。たとえば、債務者たる映画俳優を第三者が欺したり監禁したりして履行を不能ならしめたような場合である。もちろんこの場合には、債務者の履行不能を招来せしめるについて詐欺・強迫・暴力などの不法な手段を用いたことが必要であつて、契約自由の原則の範囲内でなした場合は違法性を帯びることはない。大審院は、第三者が芸妓を誘拐したケースにおいて、もしその芸妓稼業契約が芸妓本人ではなく、父親と抱主との間に結ばれたものであつて、芸妓本人の意思に関係なく稼業を強制するものであれば、本人の自由を強制して利益を不法に領得することを目的とする契約としてこの契約自体無効であるが、そうでなければ第三者の誘拐は債権侵害となり不法行為を成立せしめるとした。

【14】「按スルニ債権ノ不法侵害者ニ対シテ損害賠償ヲ命スルニハ先ツ其侵害シタル債権ノ性質ヲ確定セサル可カラス原判決ハ被上告人Xカ上告人Yヨリ侵害セラレタリト主張スル債権ニ付キ云云訴外Aハ大正四年三月十九日其三女B（明治三十四年十二月生）ヲ年限ハ大正四年四月一日ヨリ満六ヶ年前借金ハ六十五円ト定メテ被控訴人（被上告人）方ニ於テ芸妓稼業ヲ為サシム可キ契約ヲ為シ尚又右前借金ニ付テハ同年三月三十日金銭貸借公正証書ヲ作成シ返期ヲ大正十年三月二十九日ト定メテ云云本件契約ハ所謂丸抱ノ契約トシテ被控訴人ニ於テBニ対スル技芸修得ノ費用衣服化粧料等ノ諸費用ニ付テモ亦之ヲ負担シBカ年期中芸妓稼業ニヨリ得タル収益即玉代祝儀等ハ総テXノ所得トシ前借金六十五円ニ付テハ契約年期中無事ニBカX方ニ於テ芸妓稼業ヲ為シタル暁ニハXニ於テ之ヲ請求セサル趣旨ニ基キ締結セラレタルモノナルコトヲ認ムルニ足ル云云Yハ訴外C其他ト共ニXト訴外A間ニ於テ本件芸妓稼業契約ノ存在セルコトヲ熟知シ居リタルニ拘ラス大正六年八月六日BヲX方ヨリ誘拐シ云云ト認定シ進ンテ前借金六十五円ノ貸借ニ付キテハBハ直接ノ当事者ニ非ル旨認定シタリ其認定中前借金ニ関スル部分ハ問題外ニ措クトモ其他ノ部分ニ属スル契約ノ趣旨明瞭ナラサレハX対A間ニ如何ナル債権カ成立スルカハ不明ナリ其契約ノ趣旨ハ或ハAカXニ対シ第三者タルBノ自由ヲ強制シBヲシテ満六ヶ年間Xノ為メニ芸妓稼業ニ従事セシメ之ニ因テ生シタル財産上ノ利益ヲBノ意思ニ関係ナクXノ所得ト為サシムル契約ノ趣旨ナルカ如ク解セラレ若ハAハBヲシテXト芸妓稼業契約ヲ為シ六ヶ年間之ヲ履行セシ

ム可キコトヲ契約シタル趣旨換言スレハ第三者タルBカXト芸妓稼業契約ヲ為シ六ヶ年間其稼業ニ従事スルコトヲ以テAカXニ対スル契約ノ目的ト為シタル趣旨ナルカ如ク解セラル従テ若シ原判決認定ノ契約ノ趣旨カ前者ナリトセハ其契約ハ第三者タルBノ自由ヲ強制シ同人ノ芸妓稼業ヨリ生スル利益ヲ不法ニ領得センコトヲ目的トスルモノニシテ公ノ秩序ニ関スル法規ニ違背スル無効ノ契約ナリト謂フヘクXハ其契約ニ因リAニ対シ何等ノ債権ヲモ取得スルモノニ非ス然レハ則チYカBヲ誘拐シタリトストモ同人カX方ニ於テ事実上芸妓稼業ヲ為シ居リタルト否トヲ問ハス之ニ因テAニ対スルXノ債権ヲ侵害スル結果ヲ惹起ス可キ理由ナシ何トナレハXハAニ対シテ第三者ヨリ侵害セラル可キ債権ヲ有セサレハナリ若シ原判決ノ趣旨カ後者ナリトセハAハ第三者タルBノ芸妓稼業契約ノ締結及其契約ノ履行ヲXニ対シテ契約シタルコトトナルヲ以テ其契約ハ法律上有効ナリ従テBカA対X間ノ契約ノ履行トシテXニ対シ芸妓稼業ヨリ生スル利益ヲXノ所得ト為ス可キ約款ノ下ニ芸妓稼業契約ヲ締結シテ其稼業ニ従事シ居リタル事実アリトセハBカ自己ノ契約上ノ債務タル芸妓稼業ヲ為スコトニ依テ同時ニAヨリXニ対スル債務カ履行セラルル結果ヲ生スルヲ以テXハAニ対シテモBノ芸妓稼業ヨリ生スル利益ヲ収得スル債権ヲ有スルモノト謂フヘクYカBヲ誘拐シ之ニ因リ同人ヲシテ其意思ニ反シX方ニ於テ芸妓稼業ヲ為シ得サラシメタル事実アリトセハYハXニ対シBノ芸妓稼業ニ因リテ得可カリシ利益ヲ償還セサル可カラサレトモ原判決認定ノ趣旨ハ叙上説明セル如ク明瞭ナラサレハ原裁判所カ斯ノ如キ認定事実ニ基キXノ損害賠償請求ヲ是認シタルハ失当ナリ」（大判大七・一〇・一二民録二四・一九五四）。

本件のような場合、契約の趣旨が判旨に指摘する後者の場合であつたとしても、前者の場合同様公序良俗違反とならないかどうかは疑問であるが（最判昭三〇・一〇・七民集九・一六一六は前借金契約を全体として無効とするに至つた）、この点を問題にせず契約自体有効であるとすれば、まさに判旨のいう通り債権侵害となることに異論はあるまい。

（二）　給付は侵害するが債権は消滅しない場合

(1)　第三者が債務者または履行補助者と共謀して債権の目的物を破壊し、あるいは債務者または履行補助者をして債権者の信頼を裏切る行為をなさしめたようなときは、債務者自身債務不履行の責に任じなければならないから、債権は損害賠償請求権となつてなお存続するわけである。したがつて、このような場合には不法行為は成立しないと解する説がある（勝本・総論五三頁）。しかしこの場合も、損害賠償請求権は債権本来の内容を実現しうるものとはいえないし、債務者の資力が十分でないときが比較的多いから、不法行為の成立を肯定すべきである。ただし、これらの場合にあつては前記（一）の場合と異なり、債務者の側にすでに不履行の責任が存するのであるから、第三者の行為は債務不履行への加担行為に過ぎないというべく、違法性の認定に当つては慎重な考慮を必要とする（二重契約のような合法的な形がとられたときは、債権者を害するための共謀があつたとしても、それだけでは違法性があるとすることはできない。加藤・不法行為一二〇頁参照）。大審院は、第三者の債権侵害を肯定したリーディングケースたる前記【3】の事件において、「若シ第三者カ債務者ヲ教唆シ若クハ債務者ト共同シテ其債務ノ全部又ハ一部ノ履行ヲ不能ナラシメ以テ債権者ノ権利行使ヲ妨ケ之ニ依リテ損害ヲ生セシメタル場合ニ於テハ」不法行為の成立ありとした。すなわち、右判旨は、第三者が教唆して債務不履行をなさしめた場合も、債務者と共同（共謀）して第三者が債権者の権利行使を妨げた場合と同様に、債権侵害となるとしたのであつた。しかし、事案は買主の代理人が売主側の受任者等と相謀り同人等の利益を図るため売買代金を偽り、真の買値との差額を不当に利得せしめたというもので、まさしく共謀のケースであつた。同様に、共謀の存した場合に不法行為の成立を認めた判例に次のものがある。

【15】　上告人Xの支配人代理であるAがその従兄弟である被上告人Y（Xの債務者）と共謀し、YがXに提

供した担保物を脱出せしめる目的で無担保の債権と更改契約をしたため、Xが損害を受けた。原審は、AがXに対して負う雇傭契約の義務違背たるに止まり、YはなんらXの権利を侵害したものでないとした。上告理由は、「代理人又ハ労務者カ本人又ハ使用者ニ対シテ誠実ニ其職務ヲ尽ス可キ義務アル場合ニ於テ第三者カ其代理人又ハ労務者ト共謀シテ不誠実ニ其職務ヲ実行セシメ本人又ハ使用者ニ損害ヲ加ヘタル場合ニ於テハ実行シタル職務ノ法律行為ナルト否トヲ問ハス又其法律行為ノ有効ナルト否トヲ問ハス其第三者ハ本人又ハ使用者ニ対シテ損害賠償ノ義務アルモノト云ハサル可ラス何トナレハ債務者以外ノモノト雖モ他人ノ債権ヲ尊重シ其実行ヲ妨害スヘカラサル義務アルコトハ他人ノ絶対権ニ対シテ総テノ人カ其実行ヲ妨害ス可ラサル消極的義務ヲ負担スルト同様ニシテ若シ其義務ニ違背シ損害ヲ加ヘタルトキハ之ヲ賠償セサル可ラサルハ二者毫モ異ナル所ナケレハ……漫然更改契約ノ有効ナル一事ヲ以テ被上告人Yニ賠償ノ責任ナシト判決シタルハ不法ノ裁判タルヲ免カレス」として債権侵害の本質論に触れたものであったが、大審院はこの点について説示するのを避け、次のように判決理由を述べた。

「代理人ハ其代理行為ヲ執行スル上ニ於テ本人ニ対シ誠実ナルヘキハ当然ニシテ故意ニ本人ニ対シ不利益ノ結果ヲ生セシムルカ如キ行為ヲ為シタルトキ其損害ヲ賠償スヘキ責任ヲ負フヘキハ勿論ナリトス而シテ本件ニ於テハAカ上告銀行Xノ支配人代理タルヲ奇貨トシ其従兄弟タルYト共謀シYカXニ供シタル担保物ヲ脱出セシメントノ目的ヲ以テ更改契約ヲ為シタルモノナル旨ノ主張アリシコトハ原院ノ認ムル所ニシテ此ノ主張ヲ事実ナリトスレハ右Aハ代理行為ヲ不誠実ニ実行シタリト認ムヘキハ当然ニシテ其不誠実ノ行為ニ共謀加功シタルYモ亦Xニ対シ損害賠償ノ責任ヲ負フヘキハ当然ノ筋合ナリ然ルニ原院ハ更改契約カ有効ナルノ故ヲ以テ既ニAニ於テ其職務執行ヲ為ス可キ雇傭契約ノ義務ニ違背シタルモノナルコトヲ認メナカラ同人トYト共謀ノ結果ナリトノ事実如何ヲ確定スルコトナク輙クYニ損害賠償ノ責任ナキモノト……シタルハ不法……」（大判明四〇・六・二二民録一三・六九八、民抄録三二・七〇三六）。

【16】　娼妓と通謀して逃走せしめた第三者の行為が業務妨害罪を構成するとの判決理由の中で、

「娼妓稼業ハ公認セラレ居ルヲ以テ娼妓カ貸座敷営業者ヨリ金銭ヲ借受クルニ当リ其ノ債務ノ弁済方法トシテ一定ノ期間債権者経営ノ貸座敷ニ於テ娼妓稼業ヲ為シ其ノ収益金ヲ以テ弁済ニ供スルコトヲ約スルモ公序良俗ニ反スルモノト云フヲ得サルニヨリ其ノ契約ハ有効ナレハ娼妓ハ之ヲ履行スル義務アルト同時ニ第三者ハ右契約ニ基ク貸座敷営業者ノ債権ヲ侵害セサル義務アルモノトス左レハ貸座敷業者カ叙上契約ニ基キ娼妓ヲシテ契約期間内自己経営ノ貸座敷ニ於テ娼妓稼業ヲ為サシメ其ノ収益金ヲ以テ自己ノ貸金債権ノ弁済ニ供セシメ貸座敷営業ヲ為シ居ル場合ニ於テ第三者カ偽計ヲ用ヒ娼妓ヲシテ逃走セシメ右貸座敷ニ於ケル娼妓稼業ヲ休業セシメタルトキハ是レ不法ニ貸座敷業ノ債権ヲ侵害シタルモノニ外ナラサレハ縦令娼妓ニ於テ逃走ノ決意アリタルニ乗シ之ト通謀シテ逃走セシメタル場合ト雖業務妨害罪ヲ構成スルコト言ヲ俟タス蓋シ娼妓ニ於テ稼業ヲ為スコトヲ欲セサルトキハ貸座敷業者ニ於テ之ヲ強制シテ稼業ヲ為サシムルコトヲ得サルコト勿論ナリト雖娼妓カ其ノ貸借上ノ債務ヲ完済セサルニ拘ラス契約期間中逃走シテ休業スルハ契約違反ニ外ナラスシテ正当ナル権利ノ行使ト云フコトヲ得サルニヨリ逃走休業カ娼妓ノ発意ニ出テタルコトハ之ト通謀シテ逃走セシメタル第三者ノ行為ノ違法ヲ阻却スルモノニ非サレハナリ」（大判昭三・二・六刑集七・八三）。

【17】　大正五年以来Oなる未登記商号の下に売肉商を営んできた被上告人Xが大正十二年に一時営業を休止し店舗とともに右商号の使用を上告人Y_1に許すと同時に、営業場所を変更したときは右商号を使用せしめざるべきことを約した。しかるに、Y_1は昭和四年近所に移転し、右特約を知っている上告人Y_2と共謀して同一商号を使用して営業を継続した事件。

「自己ノ氏ヲ以テ商号ト為シ従来営業ヲ継続シ来リタル商人カ一時其ノ営業ヲ休止シ該営業所ニ於テ同一営業ノ為メニ他人ヲシテ其ノ商号ヲ使用セシムルコトヲ約シ其ノ他人カ営業ノ場所ヲ変更シタル場合ハ最早該商号ノ使用ヲ為サシメサルヘク其ノ他人カ該商号ニ付商号登記ヲ為シタル場合ニ於テモ営業ノ場所ヲ変更シタルトキハ之ト同時ニ其ノ抹消登記手続ヲ為サシムヘキ旨ヲ契約スルコトハ決シテ為シ得サルトコロニ非ス蓋シ未登記商号ノ使用者ハ他人カ同市町村内ニ於テ同一営業ノ為メニ同一商号ノ登記ヲ為スコトヲ阻止スルヲ得ス又

不正競争ノ目的ヲ以テスル同一商号ノ使用差止ヲ請求スルコトヲ得サルハ論ナシト雖当事者間ノ契約ニ因リ冒頭説示ノ如キ債務関係ヲ成立セシムルコトハ敢テ強行規定ニ違反セサルハ勿論不当ニ相手方ノ自由ヲ拘束スルモノト云フヲ得サルコト明瞭ナレハナリ而シテ斯ル契約ノ締結セラレタル場合ニ於テ債務者カ従来ノ営業所ヲ変更シタル後モ尚同一営業ノ為メニ当該商号ヲ使用スルノミナラス既ニ為シタル商号登記ノ抹消ヲ為ササル場合ハ一時其ノ営業ヲ休止シタルニ過キサル債権者ハ現ニ商人ニ非スト雖其ノ契約ノ効力トシテ債務者ニ対シ将来ニ於テ其ノ使用ヲ為ササルヘキコトヲ求メ且既ニ為シタル登記ノ抹消ヲ請求シ得ヘキコト勿論ニシテ債権者ハ債務者ノ債務違反ヲ原因トシテ損害賠償ノ請求ニノミ終始セサルヘカラサル理由ナシ然リ而シテ第三者カ故意又ハ過失ニ因リ債務者ニ加担シテ債務者ヲシテ債務違反ノ行為ヲ敢行セシメ因テ以テ債権者ノ権利行使ヲ妨クルカ如キ場合ニ於テハ債権者ハ不法行為ヲ原因トシテ第三者ニ対シテモ亦之カ妨害ノ排除ヲ請求シ得ヘキモノナリト解セサルヘカラス」（大判昭八・七・八新聞三五八六・一三）。

【18】　荷受人Y_2（上告人）ノ被用者Y_1が運送人X（被上告人）から到着地の運送取扱人に指定されたAに依頼して、荷為替附の貨物を貨物引換証によらずに引渡を受け、これを他に売却処分して荷送人Bに損害を被らしめたため、XがBに対し旧商法三三七条（現五七七条）により損害賠償をしたという事件。

「原判決ノ確定シタルトコロニ拠レハ訴外合資会社B商店ハ上告人Y_2ニ対シ判示朝鮮玄米ヲ二回ニ売渡シタル為メ之カ運送ヲ被上告人Xニ委託シ仍テXハ訴外Bニ貨物引換証ヲ発行交付シタル上訴外Aヲ到着地ニ於ケル運送取扱人ト指定シ鉄道省貨切扱ノ方法ニ依リ右玄米ヲ発送シタルトコロ一方訴外Bハ荷為替ヲ取組ミタルヨリ着荷運送取扱人タルAハ当該貨物カ荷為替附ナルコトヲ知リナカラ上告人ノ被用者タルY_1ノ依頼ニ基キ其ノ任務ニ背キ貨物引換証ト引替ニ非スシテ該貨物ヲY_1ニ引渡シ同人ハ其ノ業務上之カ引渡ヲ受ケ更ニ之ヲ他ニ売却処分シテ荷送人タル右訴外Bニ損害ヲ被ラシメタルヨリ被上告人X_2ハBノ請求ニ従ヒ判示金員ヲ賠償金トシテ支払ヒタルモノナルコト明ナリ然ラハ叙上ノ事実関係ノ下ニ於テハ到着地ノ運送取扱人AハXトノ契約上貨物引換証ニ依ラスシテハ貨物ヲY_2其ノ他ノ第三者ニ交付スヘカラサル義務ヲ負フモノナルヲ以テ判示ノ如ク

Y_2ノ被用者Y_1カAニ対シ貨物引換証ニ依ラスシテ貨物ノ引渡ヲ求メ同人ヲシテ之ヲ余儀ナクセシメタル以上即チY_1ハAノXニ対スル契約上ノ義務ヲ故意ニ不履行ニ終ラシメタルモノト云フヘク之ヲXヨリ観スレハ其ノAニ対シテ有スル債権侵害ノ行為ナリト断スルヲ得ヘシ故ニ其ノ結果Xヨリ右訴外Bニ対シ損害金ヲ支払ヒタルニ於テハ該金員タル右Y_1ノ債権侵害ナル不法行為ニ因リXノ被リタル損害ニ外ナラサレハ該損害ニ付テハY_2ハY_1ノ使用者トシテ民法第七百十五条ノ規定ニ依リ賠償責任ヲ負ハサルヲ得サルモノニシテ結局之カ賠償責任ヲ問ハントスルXノ本訴請求ハ原判示ニ所謂代位ヲ云為スル迄モ無ク正当ナルト同時ニ代位ニ関スル原判示並所論連帯ニ関スル原判示ノ当否ハX請求ノ帰趨ニ影響ヲ及ホササルコト明ナレハ夫等ノ原判示ヲ前提トシテ立言スル論旨ハ総テ採容ニ由ナキモノトス」(大判昭一一・三・九民集一五・三九七)。

右に記した諸判例のうち【17】のケースは、現行商法(昭和十三年の改正により二一条が追加された)の下では商号使用権の侵害として不法行為となるものであろうが(さらに不正競争防止法による保護にも違反することになろう)、判旨のように特約違反について第三者が共謀に加担したとすることも差支えあるまい。また、このような理論構成は類似の判断に当つて参考となろう。ただ、後に触れるように、債権侵害の場合には直ちに妨害排除請求権が発生するとの結論を、なんらの理由を示すことなく導き出している点には批判の余地がある。また、最後の【18】では、一審二審とも侵害者と債務者間に共謀の存したことを認めているが、大審院は単に「依頼ニ基キ」としてこれを区別しているようにも受取れるが、また他の個所では、「同人ヲシテ之ヲ余儀ナクセシメタル以上」と述べており、共謀の存在を肯定しているものと考えて差支えあるまい。

(2)　以上と異なり、第三者と債務者との間に共謀ほどの主観的共同関係が存しない場合であつても、なお債務者に対し教唆・幇助したことが程度によつては違法とみなされる場合もありうると考えられる。民法は、共同不法行為に関する条文において、教唆者と幇助者はとくにこれを共同行為者とみなす旨の規定をおいているが（民七一九条二項）、この趣旨は債務不履行に対する教唆や幇助の場合にも生かさるべきであろう。本来の債務者がいるとはいえ、これに対してのみ責任を問いうるに過ぎないとすることは妥当とはいえない。判例としては、前記のように【3】の事件において、一般論として教唆の場合も共謀と同様に債権侵害を成立せしめることを明らかにしているが、事件に直接関係がないだけに判例としての意味は少ない。ただ後掲【21】事件において、一定の者が債権者の権利行使を阻害して損害を与える目的の下に債務者と通謀し若しくはこれを教唆して債務者の一般財産を減少せしめる行為に出たときは、右の一定の者（第三者）は債権を侵害した不法行為者として責に任ずべきものとしているから（原告（債権者）の請求理由中にも、第三者が主謀者となり、債務者を籠絡して、債権を侵害したこととなっている）、教唆の場合も共謀と同様に違法性ありとの判例は一応確立しているものと考えられる。もっとも、古い下級審判例（前掲【6】の判旨中にはこの点に触れた部分があるとのことであるが、直接参照するをえなかった）の中には、債務不履行の教唆については民法第七一九条の適用がないとして損害賠償の請求を否定したものがあるといわれているが、教唆の場合にあっても、債務者の債務不履行に多少の影響力を与えたという程度に止まらず、積極的に債務不履行の決意を促したというようなときは（後掲【21】事件参照）、不法行為の成立を認むべきだと考えられる（加藤・不法行為一二〇頁参照）。幇助の場合もこれに準じて認めてよい。ただし、第三者の行為が二重契約のような合法的な手段に出たときは、たとい教唆・幇助があったとしても違法性ありとすることはできないであろう（【6】の判旨は、多分に当時の肯定説の代表者であった石坂博士の所論に影響されているのではないかと推測される。すなわち、博士は、ストライキを教唆した者の責任について論じ、この場合労務者は債務違反者なり不法行為者にあらず、債務違反を教唆したる者は契約違反の責任を負うべきであるが、不法行為の責任を負うべき理由はない、しかして契約違反の教唆なるものは存しないから第三者は全く責任なし、とされる。そして、立法論としては研究の価値ありと附記される。同・改纂民法研究下三四頁参照。しかし、このような形式論で割切ることは妥当でない）。

(3) 次に、比較的問題が多いのは、債務者の一般財産を減少させる行為である。この場合は、前記各場合と違つて債権を直接侵害するものではないが、債権の実行を困難ならしめる点において、なお間接的な侵害ありというべきである。ただ、第三者が正当な行為（売買契約または会社設立行為など）によつて債務者の財産を取得することはもとより許された行為であるから、たとい、このことによつて債務者の弁済能力が害されることを認識していたとしても、不法行為とはならないと解すべきである。したがつて、第三者のこれらの行為が債権侵害として違法性を帯びるのは、その行為が、財産を隠匿したり、仮装の債権で差押をなしたりするなど刑法上の犯罪行為になるか（刑九六条ノ二）、あるいはこれに準ずるような不当な行為の場合に限られることとなる。判例は、まず前記【4】の事件において、虚偽の債権証書を作成して債務者の動産に仮差押をなし、もつて債権者の仮差押を不能ならしめた場合に、不法行為の成立を認めたのであつた。次で、家資分散の場合に債務者と共謀してその唯一の動産を隠匿脱漏し、もつて債権の弁済を不能ならしめた場合にも肯定した。

【19】 X合名会社は訴外Aに対し約六六八〇円の債権を有していたが、Aの家資分散宣告（破産宣告のこと）に際して債権者の差押を免れるためAはY等と共謀して、Y_1に玄米約四四石（約六一五円）と別に約五〇石（約五三九円）、Y_2に玄米約五〇石（約六五五円）、Y_3に現金三〇〇〇円と時計など約七七円を仮装譲渡した。よつて、XはY等に対し債権侵害による損害賠償請求をしたという事件。

「原裁判所ノ確定シタル事実ハXカ訴外Aニ対シ本件ノ債権ヲ有シ又右債務者Aカ本件係争ノ財産以外ノ他ニ財産ナキコト争ナクY等ハ右Aノ家資分散ノ際ニ同人ト共謀シ債権者ノ差押ヲ免カルル為メ右Aノ本件係争

財産ヲ隠匿及ヒ脱漏シ遂ニ債権者タルXヲシテ右Aヨリ弁済ヲ受クルコト能ハサルニ至ラシメタルニ在ルコト判文上明白ナリトス然ラハYハ右Aト共謀シテ旧刑法第三百八十八条ノ禁スル行為ヲ為シ以テ被上告人ノ有スル債権ノ効力即チ債務者ノ総財産ニ依リ弁済ヲ受クルノ権ヲ害シタルモノニシテ民法第七百九条ニ所謂故意ニ因リテ他人ノ債権ヲ侵害シタル者ニ該当スルコト勿論ナリトス」(大判大五・一一・二一民録二二・二二五〇)。

これに反して、債務者が債権者の執行を恐れて合資会社を設立し、自ら無限責任社員となってその財産(店舗商品など計約五万円)をこれに無償譲渡したという事件では、会社について債権侵害の成立を否定し、債権者はただ、かかる行為を詐害行為として取消しうるに止まるとした。

【20】 上告論旨では、「原判決は債権に対し損害賠償の成立するには第三者の侵害によりて債権の消滅することを要すとしているが、債権とくに金銭債権に対する侵害行為の何ものたるかを解しないものである。債権の目的たる給付が不作為、専属的給付、特定物の引渡の場合を除き、不特定物もしくは代替物なかんずく金銭の給付にあるときは、債務者の給付行為はその履行能力を担保する資産状態にかかるものであるから、第三者の故意または過失によりその資産状態を悪化せしめた結果、一方債務者は一定の時期に一定の給付をなすこと能わざるに至り、他方債権者はその債権により将来取得すべき利益享受を妨げらるることとなれば、債権侵害ありというべく、必ずしも債権の消滅することを必要としないと信ずるものである。また、原判決は民法四二四条と七〇九条との関係を誤解するものである。両条はともに債権保護に関する規定にして、特別法一般法の関係がある。しかも通説判例は両条の請求権の競合する場合あることを認めている。さらに、詐害行為取消権は授受された財産が取消当時なお受益者または転得者の手中に存するときはその返還を得て目的を達成することが可能であるが、本件のように営業財産全部について包括的授受をなした場合、かつその財産の多くが商品であるときは授受された物品の識別が困難で取消の効果を収めることができない。このような場合には、受益者に対し不法行為を理由として損害賠償請求権を行使せしむるのでなければ、債権保護の目的は達せられな

い」ことが主張された。これに対し、判決理由は――

「按スルニ我現行法制上第三者カ債権ヲ侵害シタリトシテ之ニ損害賠償ノ責ヲ負ハシムルコトヲ得ルハ例ヘハ第三者カ債権者ノ作成シタル受取証書ヲ窃取シテ弁済ヲ受ケタル場合又ハ他人ノ債権ヲ害スル意思ヲ以テ其ノ特定ノ目的物ヲ破毀シタル場合等ノ如ク第三者ノ行為カ債権者ヲシテ其債権ノ全部又ハ一部ヲ喪失セシメタル場合ナラサルヘカラス上告人Xハ本訴ノ請求原因トシテ被上告会社Yノ代表者AハXノ前主Bニ対シ三千九百三十六円十四銭ノ手形債務ヲ負担シ之カ為強制執行ヲ受ケンコトヲ虞レ之ヲ免ルル為Y会社ヲ設立シ之ニ自己ノ営業上ノ店舗器具商品等ヲ無償譲渡シ他方之ニ因リ自己ノ債権者ヲ害スルコトヲ知リナカラY会社ノ代表者トシテ之ヲ譲受ケ以テXノ前記手形上ノ権利ノ実行ヲ不能ナラシメ該手形金額相当ノ損害ヲ被ラシメタルカY会社ハ右Aノ行為ニ付商法第一〇五条第六二条二項民法第四四条ノ規定ニ依リ右損害ヲ賠償スル責ニ任セサルヘカラサル旨主張スルトコロアルモ斯ノ如キ第三者（Y会社）ノ行為ハ単ニ債権者ノ財産ヲ減少セシメ一般債権者ノ権利実行ヲ事実上困難ナラシムルニ止マリ債権其モノノ存続又ハ其法律上ノ効力ニハ何等直接ノ影響ヲ及ホササルコト明ナルニ於テ到底之ヲ第三者ノ債権者侵害行為ヲ以テ目スヘカラサルコト殆ト言ヲ俟タサルヘキナリ尤モ右X主張ノ如キ第三者ノ行為カ債権者タルXノ権利行使ヲ困難ナラシメ其利益ヲ害スルモノアルハ否ムヘカラサルコト寔ニ所論ノ如クナルモ斯ノ如キ不利益ハ債権者ニ於テ民法第四二四条所定ノ詐害行為取消権ノ行使ニ依リ之ヲ除去スルコトヲ得ヘク我現行法ノ下ニ於テ此取消権ノ行使ヲ外ニシテハ他ニ適切ナル救済ノ方法存セサルモノト云ハサルヲ得ス従テ原判決カ之ト同一趣旨ニ基キXノ本訴請求ハ其ノ主張自体ニ徴シ認容シ難シトシテ之ヲ排斥シタルハ洵ニ正当ニシテ何等不法ノ点アルヲ見ス論旨ハ孰レモ之ト反対ノ見地ニ立チXハ前記主張事実ニ基キ詐害行為取消権ノ外尚第三者ノ債権侵害ニ因ル損害賠償請求権ヲ有スルモノト為シ之ヲ前提トシテ原判決ヲ攻撃スルモノナレハ総テ採用ニ値セサルモノトス」（大判昭八・三・一四新聞三五三一・一二）。

このように、債務者の一般財産を減少せしめ債権者の権利行使を困難ならしめる目的をもつて行われる会社設立行為について、詐害行為取消権を認める判例は、右判例の前後を通じて多数現れている（松坂「債権者取消権」総合判例研究叢書民法(7)一四四頁【3】の註参照）。昭和十三年改正商法の規定（一四一条）もまた、これら判例と同じ見解に立ってこれを確定したものと解する判決もある（大判昭一六・五・一六新聞四七〇七・二三）。学説も多くこの判旨に賛意を表し、会社自体に不法行為責任を肯定することには反対している（我妻・総論五五頁、於保・総論七八頁註（二〇））。

ところが判例は、債務者が第三者に対する訴訟において請求を放棄し（第三者と債務者との通謀または第三者の教唆により）、もって責任財産を減少した場合に、請求放棄が債権者の権利行使阻害の単なる手段に過ぎないことを理由として不法行為の成立を認めた。

【21】　事実関係は多少入り組んでいるが、おおよそ次のようである。BはAに対する債務者で、A宛約束手形（金一、一〇〇円）を振出し、順次C、X（上告人）へと裏書譲渡されている。一方、これよりさきに、Bは家督相続をしていたが、当時未成年のため実母Y_1（被上告人）が親権を行使していた。ところがY_1は親権者たる地位を濫用してBの財産を領得しようと企て、その所有不動産の一部をY_1およびY_2（Bの叔父）に移転登記（贈与）し、次でBが成年に達した後にはその名義を冒用して、同様にY_1およびY_3（Bの実弟）に移転登記（売買）した。そこで、Bはこれらの贈与または売買が無効であることを理由として登記抹消手続請求の訴を提起した。しかるに、この訴訟中、$Y_1Y_2Y_3$の側を代表して争に関与したY_4Y_5がBとの間に裁判外の和解を成立せしめ（当時Bには約一万円の借財があって、しかも他に資産がなかったから、訴訟に勝っても直ちに差押を受けるおそれがあった）、問題の不動産の中から金一八、〇〇〇円に相当するものをBに贈与する旨の譲歩をなすとともに、Bをしてその請求を放棄せしめた。

そこで現在の手形債権者たるXは右訴訟の原告被告の全員を被告として本訴を提起し、前訴における甲の請求放棄は、Xの債権を侵害する共同不法行為（Y_1等の）だとしてXの債権全額に相当する損害賠償を請求したものである。第一・二審判決はいずれも、Bに対する手形債権の請求のみを認め、Y_1等に対する請求を否認した。原審の理由とするところは、第一に、Y_4Y_5等が斡旋してBをして請求放棄の挙に出させる機運を誘致したのは、右の訴訟が母子骨肉間の紛争であるため、これを法廷の問題として終始せしめては世間の非難の的ともなることを考え、親族たる情誼にもとづいて円満に解決せしめんとしたもので、Bの請求放棄はその和解の手段としてなされたものにほかならない。したがつて、彼等の行為はわが国古来の醇風美俗に副うところはあつても、いささかも公序良俗に反するものではない。第二に、Bは無資産になつたとしても、Y_1等の行為はXのBに対する手形債権自体を喪失せしめたものではないから、Xに対する不法行為とはならない、というのであつた。

そこでXは上告してその理由を次のように述べた。第一、上告人は請求の放棄自体が公序良俗違反だと主張するわけではない。しかし、不当に一家の資産を擁護するため他人の債権を害する目的をもつて、社会通念上自己にとつてなんらの利益なく、かつ合法的理由も存しないのにもかかわらず、通謀の上道義に反して請求放棄をした場合には、違法だと主張するのである。一家の私利私欲の目的のみをもつて他人の権利を侵害する行為を醇風美俗だとはいえないはずである。第二に、原審は手形債権自体は喪失せしめられていないから不法行為にならないと判示しているが、金銭債権の場合も、債務者が全く無資産となり弁済を受ける見込がなくなつたときは、特定物債権において目的物が滅失毀損した場合と異なるところはない。

「惟フニ訴訟ノ原告カ当該請求ヲ抛棄スルコトハ権利行為ニシテ固ヨリ直ニ違法ト做スヲ得サルモ右抛棄ノ目的カ第三者ノ権利行使ヲ阻害シテ損害ヲ与フルニ存シ抛棄ハ只タ斯ル目的ヲ遂クルノ手段ニ外ナラサル場合ニ於テハ之ヲ違法ト断セサルヲ得ス従テ右第三者ノ権利カ債権ニシテ一定ノ者カ如上目的ノ下ニ右原告ト通牒シ若クハ原告ヲ教唆シテ斯ル挙ニ出テシメタルニ於テハ即チ債権ヲ侵害シタル不法行為者トシテ其ノ責ニ任スヘキモノト解スルヲ相当トス原審ハBノ為シタル請求ノ抛棄ニ付如上目的ノ存在ヲ否定セルモノノ如キモ上告

人主張ノ如クBカ財産上何等得ル所ナクシテ請求ヲ抛棄シ殊ニ相当巨額ノ不動産ヲ取得スヘキ旨ノ示談成立後卒然示談ヲ解消シテ請求ヲ抛棄シタリトセムカ斯ノ如キハ異例ノ措置ニシテ輙クソノ所以ヲ解スルヲ得ス又Bニ於テ新ニ訴訟代理人ヲ選任シ而シテ従前ノ代理人ニハ秘シテ新代理人ニ依リ抛棄ノ手続ヲ為シタルモノナラムカ更ニ疑問ヲ加ヘサルヲ得ス然レハ道理アル説明ナキ限リ右抛棄カ違法ノ目的ニ出テタル旨ノ上告人ノ主張ハ必スシモ之ヲ否定シ得サル次第ナルニ拘ラス右ノ点ニ関スル原審ノ判断如何ハ竟ニ之ヲ推知シ得サル所ナリ尤モ原判文ニ於テBノ提起シタル訴訟ハ母子骨肉間ノ紛擾ニシテ其ノ儘ニ放置シ得サル為被上告人$Y_4$$Y_5$等斡旋ノ結果裁判外ニ於テ円満妥当ニ解決シ得タルヲ以テ訴訟ヲ終熄セシムル訴訟法上ノ一技術トシテ請求ヲ抛棄シタル旨ノ説示存スルモ其ノ所謂円満妥当ナル解決ノ内容ハ判文並挙示ノ証拠上全ク不明ナルノミナラス縦令親族間ノ紛争ヲ解決シ得タルニモセヨ其ノ方法ニ於テ第三者ヲ害スヘキ行為ヲ敢テセル場合ニ於テハ之ヲ以テ違法タラスト即断スルヲ得ス原審ノ判断ハ尚他ノ理由アラハ格別右判示ニ依リテハ到底首肯スルニ由ナク結局審理不尽又ハ理由不備ノ違法アリ最後ニ原審ハBカ請求ヲ抛棄スルモ同人ニ対スル上告人等ノ債権ハ依然存続スヘシトノ理由ノ下ニ本件不法行為ノ成立ヲ否定セルモ右抛棄ニ因リBニ於テ無資力トナリタル以上上告人等ノ債権ハ有名無実ニ帰シ従テ上告人等ハ債権ヲ喪失シタルト同様ナル損害ヲ蒙リタルモノト云フヲ得ヘキカ故ニ右原審ノ見解ハ不当ニシテ法律ノ解釈ヲ誤レル違法アリ」（大判昭一八・一二・一四民集二二・一二三九、評釈川島、判民六九事件、末川・民商二〇・三）。

この判旨に対しては、川島教授の批判がある（前記評釈参照、同旨、加藤・不法行為一二〇頁）。すなわち、債権者は債務者の責任財産に対しては直接支配を有せず、したがつて債務者が契約を通して他の債権者に履行することによつてその債権者に対する債務を履行しえなくなつても、そのこと自体は責任財産の主体たる債務者の管理権に由来する当然の効果であり、債権者はかような債務者の行為に対しては、一般担保保全のために一定の法定要件（七〇九条以下とは相当に異なる）が具わる場合にのみ詐害行為取消という方法を通じて救済が可能で

あることを考慮するなら、債務者の行為を媒介とする責任財産の減少の場合に不法行為法を機械的に適用することは、民法の基本的な構成に矛盾することになるのではないか、とされる。けだし、そうでなければ、詐害行為取消の諸の要件は不法行為の訴によって実質的には回避されることになるから、ともいわれる（同旨、加藤・不法行為一二一頁）。

たしかに、本件の場合は詐害行為の要件を満たすものと考えられるから、債権者取消権の行使によっても問題の解決は計られたであろう。しかし、だからといって、第三者の違法行為（共謀・教唆などによる）について不法行為の適用なしとする必要はない。不法行為の成立を認めるといっても、その要件は、前述のようにかなり厳格に絞られるから、「詐害行為取消の諸の要件は不法行為の訴によって実質的には回避されることになる」（川島・前掲三〇九頁参照）ということはできない。また、一般財産の減少によって受ける債権者の損害は間接的だといっても（加藤・前掲一二〇頁参照）、債務者の一般財産の減少と債権者の権利行使不達成との間に因果関係が存すれば、かかる第三者の妨害行為を目して不法行為とすることに妨げはないはずである。詐害行為取消権と競合するからという理由で、これを排斥することも前述のように妥当でない。（同旨、末川・前掲一三四頁）。ただし、幇助者のような場合には、一般財産の減少すなわち債権行使の妨害という認識を欠くことが多いだろうから、一般には違法性が認められないであろう。

ともあれ、本件の場合はこの判旨が認めているように、請求権の「拋棄ノ目的カ第三者ノ権利行使ヲ阻害シテ損害ヲ与フルニ存シ、拋棄ハ只タ斯ル目的ヲ遂クルノ手段ニ外ナラサル場合ニ於テ」、一定の者が原告と通謀し若くは教唆したのであるから、前掲【4】、【19】などのケースとほぼ同程度の高度の違法性の存する場合と考えられる(末川・前掲一三三頁以下参照)。

三　その他の場合

(一)　賃借権侵害の場合

賃借権侵害の場合も右に従つて分類し考察することはもとより可能であるが、この種の事例はかなり多いので便宜上別個に検討しよう。

なお賃借権侵害の問題は、後述のように妨害排除請求権を肯定すべきか否かの問題として争われることが多いが、ここでの問題はもつぱら、不法行為の成否をめぐつて、である。

(1)　賃借権の第三者による侵害は、不動産とりわけ借地について発生する場合が多い。判例は、後掲の【33】(大判大一〇・二・一七民録二七・三二一)事件において、第三者が故意または過失によつて他人の賃借権を侵害した場合には、妨害排除請求権は別として、被害者たる賃借人はその不法行為者に対し損害賠償の請求ができる旨を明らかにしたが、次の判例においても、これを認めた。

【22】　XはYから借地しその上に貸家を所有していたところ、大正十二年の大震災で全部焼失した。Xの借家人$A_1A_2A_3$は空地となつたXの借地上に無断で家屋を建設したが(その間Xは占有回収の訴を提起したが法定期間経過後であつたため敗訴)、Yは右土地を$A_1A_2A_3$にそれぞれ売渡して移転登記を了した。XからYに借地権侵害を理由に損害賠償を請求したのが事件の概要。これを肯定するに当つての傍論として、$A_1A_2A_3$に不法行為ありと認定した。

「借地権ヲ有シテ占有セル地上ニ他人カ何等正当ノ権限ナキニ拘ラス家屋ヲ建設シテ該土地ヲ不法ニ占拠シタルトキハ借地権者ハ占有回収ノ訴ニ依リ其土地ノ明渡ヲ請求シ得ルノミナラス借地権侵害ニ因ル不法行為ヲ

原因トシテ既ニ生シタル損害ノ賠償ヲ要求シ以テ間接ニ借地権ノ効用ヲ享有シ得ヘク且ツ土地ノ明渡ヲ請求シテ借地権ニ対スル妨害ヲ排除シ将来自己ノ権利ヲ行使シ得ルモノナレハ自己ノ借地上ニ他人カ家屋ヲ建設シテ不法ニ土地ヲ占拠シタル事実アレハトテ之ヲ直ニ借地権カ経済上価値ナキニ至レルモノト云フヲ得ス従テ此点ニ関スル所論ハ採用スルニ足ラス而シテ原審ハ上告人カ本件土地ノ不法占拠者三名ニ対シ該土地ヲ売渡シテ其登記手続ヲ為シ借地権者タル被上告人ヲシテ借地権ノ利用ヲ不能ナラシメタル大正十三年四月ヨリ本件借地権ノ終了スヘキ昭和十六年十月十六日迄ニ借地権ノ価額ヲ審査シ原審鑑定人Oノ鑑定ノ結果ニ依リ一坪ニ付金百円ノ割合ナリト判定シ被上告人カ借地権ノ喪失ニ因リ之ト同額ノ割合ニ相当スル損害ヲ被ムルモノト認定シタルコト判文上明白ナルヲ以テ此点ニ関スル所論モ採用スルニ由ナク論旨ハ何レモ其理由ナシ」（大判昭六・五・一三新聞三二七三・一五）。

右の判決は戦前のものであり、しかも傍論としてこれに触れたに過ぎないが、戦後において、下級審のものではあるが、これと正面から取組んだ判決がある。

【23】「以上のような関係であるから控訴人Yらは訴外A寺所有の本件土地をなんら権限なく占有するものと認めるのほかなく、右A寺に対する賃借人としての債権を保全するためA寺に代位してYらに土地明渡を求める被控訴人Xの請求は正当として認容すべきものである。

またXは賃借人として本件土地の引渡を受け訴外Bに転貸し同人をして占有せしめていたことは前段説示したところにより明らかであり、したがつてYが昭和二十六年六月十四日以降前記家屋を所有していることは、Xの賃借権にもとずく土地利用を妨げるものであり、言いかえればXの有する賃借権の行使を妨害する不法行為である。したがつて、Yは右不法行為の終了するまでの間、それによる損害を賠償する義務あるものである。」（東京高判昭三二・七・八東京高判決時報八・七民一二六）。

この判決は、最高裁の妨害排除請求権に対する態度確定後のものであるが、賃借人は債権者代位権にもとづいて土地明渡を請求しているし（本件訴訟開始当時はまだ最高裁の態度が明らかでなかつたためか？）、裁判所もこれを認めている点注意を惹く。学説上異論のあるところであるが（松坂「債権者代位権」本判例叢書民法(7)九一頁参照）、このように特定債権保全のためにも債権者代位権の行使を認めることは、判例としてはまず確立したものといつてよい。それはともかく、一般には妨害排除を求めるときは損害賠償を請求しない例が多いが、債権の侵害状態がある程度の期間にわたつているときは、過去の損害を賠償せしめる意味において、本件の場合のように、明渡請求と併せてこれを請求することは妥当であり、かなりの実益があるといつてよい。妨害排除請求によって得られる法益はあくまで現在および将来における債権侵害状態の差止めにほかならない。両者が二者択一の関係にないことはいうまでもないことだからである。

(2)　賃借物を第三者が不法に占有したときは不法行為の成立が認められること前述の通りだとしても、第三者の占有を貸主が是認しているときはどうであろうか。判例はかなり以前から、第三者の債権侵害が成立するためには、まず債務者に債務履行の意思があり、かつこれが履行に着手せる場合であることを要し、さらに、第三者の行為に因つてその履行を妨げられ債権の満足が得られなくなつた場合でなければならない、との原則に立つている。

【24】　原告Xは訴外Aより明治二七年九月に宅地を期間の定めなく賃借し、明治三二年五月引渡を受け、次で大正五年一二月右賃借権設定の登記をなした。他方、被告$Y_1$$Y_2$は明治四〇年ないし四一年以降、いずれも無権限で占有し、右宅地上に家屋を建てた。

「次ニ本件請求中ノ金銭賠償ヲ求ムル部分ニ付キ按スルニ賃借権カ債権タルコト前示ノ如クナル以上賃借権

者ナリト主張スル原告ノ被告等ニ対スル賠償請求権ノ発生スルニハ第三者ニ因ル債権ノ侵害即チ債権ニ対スル不法行為ノ成立スルコトヲ前提トセサルヘカラス仍テ如何ナル場合ニ債権ニ対スル不法行為ノ成立アルヘキヤヲ審按スルニ凡ソ債権ハ債権者ヨリ債務者ニ対スル相対的請求権ニシテ債務者ノ履行アルニアラサレハ其満足ヲ得ヘカラサルモノナル以上債権ハ先ツ債務者ノ履行ニ因リテ満足ヲ受クヘク債務者ノ履行カ第三者ニヨリテ妨ケラレタルトキニ於テノミ第三者ニ因ル債権侵害ヲ成立スルモノト謂ハサルヘカラス従テ第三者ニ依ル債権侵害ノ成立スルハ債務者カ債務履行ノ意思アリ且ツ之カ履行ニ着手セル場合ニ第三者ノ行為ニ因リテ其履行ヲ妨ケラレ従テ債権ノ満足ヲ得ラレサリシ場合ニノミ限ルモノト為スヘク之ニ反シテ債務者カ債務履行ノ意思無ク若クハ債務ノ履行ニ着手セサル場合ニ於テハ債務者ニ債務不履行ノ責ヲ免ル可カラスト雖モ斯ル場合ニ於テハ債権者ハ其債務者ヨリ到底其債権ノ満足ヲ得ルコト能ハサルモノナルヲ以テ第三者ニ因ル債権侵害ノ観念ヲ容ルヘキ余地無キモノト云ハサルヘカラス而シテ債権ニ対スル不法行為ノ成立ニ如上ノ制限ヲ付スルコトハ債権ノ性質ヨリスル当然ノ結果ト云フヘク今若シ如上ノ如キ制限ヲ附セスシテ漫然凡ソ債権ノ満足ヲ得サルコトニ第三者カ何等カノ原因力ヲ与ヘタルトキハスヘテ債権ニ対スル不法行為ノ成立スルモノト為ストキハ其及フトコロ広クシテ限リ無キニ至ルノ恐アリトス債権ニ対スル不法行為ノ成立ニ関シ以上ノ法理ニ基キ本件ノ場合ヲ按スルニ原告Xカ賃貸人ナリト主張スル訴外Aカ明治四〇年及四一年以降被告等$Y_1$$Y_2$カ本件土地ヲ占有スルニ対シ之ヲ明渡セシメテ以テXニ対スル賃貸人トシテノ債務ヲ履行セントスル何等カノ手段ヲ講シタリトノ事実ハ更ニ之ヲ認ムヘキ資料無キヲ以テ仮リニXカ其主張ノ如キ賃借権ヲ有シタリトスルモ右AハXニ対シテ其債務ヲ履行スルノ意思ナク又全ク其履行ニ着手セルモノト認メサルヘカラス従テ前示ノ法理ニ照セハ斯ル場合ニ$Y_1$$Y_2$カ本件ノ土地ヲ占有スルコトハX主張ノ賃借権ヲ侵害スルニ由ナキモノナルヲ以テX主張ノ債権ニ対スル不法行為ノ成立セサルモノト云フヘク従テXハ其主張ノ金銭賠償モ亦之ヲ求ムルコトヲ得サルモノト謂ハサルヘカラス」（東京地判大一〇・一一・一九、評論一〇民一二七二）。

これに続いて大審院でも同趣旨の判例が続いている。すなわち、

【25】 案スルニ原院ノ確定セル事実ニ依レハ上告人Yハ被上告人Xカ本件ノ地所ニ付訴外Aト賃貸借契約ヲ締結スル以前ヨリ其ノ地所ヲ占有セルモノナルカ故ニXカ未タ右Aヨリ本件地所ノ引渡ヲ受ケサルモノト謂ヒ得ヘシ然ラハ若シYニシテ前記Aカ叙上契約ノ履行トシテXニ本件ノ地所ヲ引渡サントセルニモ拘ラス之ヲ不法ニ占有シ以テ其ノ履行ヲ妨ケタル事実アリトセハYハXノ有スル賃借権ヲ侵害シ同人ニ損害ヲ蒙ラシメタルモノト謂フヲ得ヘケンモ若シ右Aニ契約履行ノ意思ナキモノトセハXカ本件ノ地所ヲ使用スルコトヲ得サルハAノ不履行ニ因ルモノニシテYノ占有カ其ノ因ヲ為スモノト謂フヲ得サルカ故ニYニ賃借権侵害ノ不法行為成立スヘキ理由ナシ然ラハ原院カ此ノ点ニ付何等事実ヲ確定スルコトナク漫然Yニ不法行為ノ責アリト判定シタルハ理由不備ノ違法アルモノニシテ原判決ハ一部破毀ヲ免レス」(大判大一三・一一・一七新聞二三三八・一五)。

【26】 「本件ハ不法行為ヲ理由トシテ損害賠償ヲ求ムルモノニシテ不法行為ナリト被上告人Xカ主張スル点ハ要スルニXハ本件土地ヲ訴外Aヨリ賃借シ賃借権ヲ取得セルモノナルトコロ上告人Yハ該地上ニ建物ヲ所有シテ土地ヲ明渡サス以テ故意ニXノ賃借権ニ基ク土地ノ使用ヲ妨ケタリト云フニ外ナラス然レトモYカ本件土地ノ上ニ家屋ヲ所有セルハXノ賃借権取得以前ヨリナルコトハ原審ノ認ムルトコロナレハ従来Yニ於テ本件土地ヲ占有使用セシコトノ当否ハ暫ク措キAトノ間ニ賃貸借契約ヲ締結シタルXハ須クAニ対シ自己ヲシテ其ノ土地ヲ占有取得セシメ得ル義務ノ履行ヲ求ムヘクAニシテ此ノ義務ヲ果ササル限リXハ未タ其ノ土地ノ占有ヲ得ヘキ理ナクXカ土地ノ使用ヲ為シ得サルハ結局Aカ賃貸人トシテノ義務ヲ果ササル結果ニ外ナラス従テXハYニ対シ土地ノ使用ヲ妨ケラレタリト主張シ得ヘキ筋合ニアラス然ルニ原判決ハ這般ノ関係ニ付考慮スルトコロナク単ニXカ賃借権者ニシテYカ其ノ賃借地上ニ家屋ヲ所有シ之カ明渡ヲ為ササルノ一事ヲ以テYニ不法行為ノ責任アリトナセルハ違法ト云ハサルヘカラス」(大判昭二・二・二六大判例(二)民二七)。

これら判例理論にはかなりの問題がある。たしかに、判例も指摘しているように、債権者が満足を得なくなつたことについて、第三者が何らかの原因をつくつたときには、すべて不法行為の成立ありということになれば、広きに失するであろう。けれども、逆に、債務者に債務履行の意思がないときまたは履行に着手しないときは、債権侵害を一切否定することも妥当とはいえない。諾成契約たる賃貸借の場合にあつては、賃借権は双方の合意の成立によつて発生するから、債務者の履行の意思の有無や履行に着手したか否かの問題は賃借権の効力に関係するところはない。したがつて、要物契約による債権を別として一般にこのことを問題にすることは誤つている。債務者に履行の意思があろうとなかろうと、賃借権者は賃借権にもとづいて、不当な侵害者に対し損害賠償の責任を問いうることは当然のことである。ただ、第三者も当該債務者と正当な債権関係にあるときは、債権の性質上、同一に断ずることはできない。債務者が二重契約によつて同一内容の債務を負つている場合は、債権者はすべて同等の地位にあるから（他方が違法行為に出て債権を取得した場合を除いて、一方が優越的地位に立つことはないから）、この場合に限つて、債務者の履行の意思の有無が債権の効力を左右する。判例の考え方の中には、妨害排除請求権を事実上、占有を伴つた債権（賃借権の場合がすべて）の場合にのみ肯定する判例理論の影響があるように思われる。

賃貸借契約にもとづいて賃貸人が賃借人をして占有を取得せしめるよう努力すべき債務を負うことは当然であるが、賃貸人がその債務を果さない場合には、賃借人は不法占拠者に対し直接に損害賠償の請求をなしうべきである（賃借人はただ賃貸人に対してのみ債務不履行責任を問いうるに過ぎないとすることは、賃借人の保護に欠ける）。判例のように、「従来被告ニ於テ本件土地ヲ占有使用セシコトノ当否ハ暫ク措キ」として、賃借人の占有権限の有無を考慮に入れないことは妥当ではない。債権の性質上、債務者の自由意思を無視することは前述の通り許されないが、なんらの権限なくして占拠する第三者に対しては賃借権侵害をもつて責任を問いうることは、当然のことであろう。

（二）　詐欺による意思表示の取消と債権侵害

最後に、売主Y_1が詐欺を理由として売買契約を取消した場合に、買主Aから転買していた善意のXがあるときは、右XのAに対する商品引渡請求権を侵害することになり、不法行為になるとの判例がある。すなわち、

【27】「然レトモ原院ハ上告人XカAヨリ本件清酒ヲ買受ケタルハ被上告人Y_1カAニ対スル右清酒ノ売買契約ヲ詐欺ニ基クモノナリトシ同人ニ対シ取消ノ意思ヲ表示シタル以前ニ係リY_1ニ於テXカAニ対シ売買契約ニ基キ本件清酒ノ引渡請求権ヲ有スルコトヲ知悉シ居リタルモノト認メタルコトハ原判文全体ニ徴シテ疑ヲ容レス然リ而シテ詐欺ニ因ル意思表示ノ取消ハ之ヲ以テ善意ノ第三者ニ対抗スルコトヲ得サルコトハ民法第九十六条第三項ニ規定スル所ナルヲ以テ若XカAヨリ本件清酒ヲ買受ケタル当時Aカ詐欺行為ニ因リY_1ヲシテ右清酒ヲAニ売渡スノ意思ヲ表示セシメタル事実ヲ知ラサリシモノトセンカY_1ニ於テAトノ売買契約ヲ取消シ其ノ目的物ヲ他人ニ売却シ現時之ヲ占有セサルコト原院認定ノ如クナル以上XハAヨリ之カ引渡ヲ受クルコトヲ得スシテ損害ヲ被ムルニ至ルハ言ヲ俟タサル所ナルト同時ニY_1ニ於テモXカ斯ル境遇ニ陥ルコトヲ知リ得ヘカリシモノナルヲ以テY_1ノ前示措置ヲ以テXノAニ対スル本件清酒ノ引渡請求ヲ不法ニ侵害シタルモノニ非スト為スニハ須クXニ於テY_1トAトノ間ニ於ケル本件清酒ノ売買契約ハAノ詐欺ニ因リ締結セラレタル事実ヲ知悉シ居リタルコト即悪意ノ第三者ナル事実ヲ判示セサル可カラス然ルニ此ノ点ニ付何等判示スルトコロナク漫然前示ノ如キ理由ノ下ニXニ不利益ナル判決ヲ為シタルハ審理不尽若ハ理由不備ノ違法アリト謂ハサル可ラス」（大判昭七・三・一八民集一一・三二七、評釈、吾妻・判民三〇事件）。

なお、この判決では、被上告人Y_2（運送人）がY_1の「詐欺により売買契約は取消された」との言を

信じ、貨物引換証と引換にあらずして、かつなんらの調査もなさずにY_1に本件清酒を引渡したため、Y_1は他に転売してXの引渡請求権を侵害した点にY_2の責任を認めている。しかし、判旨の重点は、詐欺による意思表示の取消が引渡請求権を有する善意の第三者に対する債権侵害を構成するという点にあり、この点について学説の批判がある。すなわち、九六条三項は詐欺による取消によつて第三者の権利が否定されることを避ける趣旨であり、この意味において第三者が詐欺者より物権の移転を受けた場合、あるいは、少なくとも取消の結果消滅すべき債権自体を譲受けた場合等にのみ適用さるべきものであつて、本件のようにXが単にAに対して引渡請求権を有するに過ぎない場合（本件の場合、貨物引換証に裏書を欠き、Xに所有権なしとせられている）に九六条三項を問題にすることが誤つている、というのである（吾妻・前掲参照）。判旨は、Y_1がXにおいて引渡請求権を有することを知りながら取消した点について債権侵害の故意があるとみているけれども、被詐欺者が取消権を行使することにはもとより違法性は認められないから（加藤・前掲二二〇頁参照）、判旨は理由がない。たとえXが九六条三項の第三者に該当するとしても、Y_1の取消がXには対抗できないというに止まるから、「XノAニ対スル本件清酒ノ引渡請求ヲ不法ニ侵害シタルモノ」ということはできない。このように、正当な権利を行使する場合には、債権侵害の観念を入れる余地がないことは当然のことである。

四 妨害排除請求権

一 序論

（一）　第三者による債権侵害が不法行為となつた場合、その救済方法は原則として金銭賠償の方法によることとされ（民七二二条一項）、原状回復は例外的に認められるに過ぎない。そして原状回復的機能は物権的請求権に任されている。したがつて、物権と区別された債権にもこのような妨害排除請求権を認むべきか否かが問題とされるわけである。たしかに、第三者の債権侵害についてかかる請求権を認むべきかどうかの問題は立法政策上の問題であろう（我妻・総論五七頁参照）。そして、債権に対してこれを否定したとしても債権の本質と矛盾するわけではない。しかし今日では、債権と物権との峻別ということも現実に維持しえなくなつている事実を否定できないし、多くの利用権的債権（ことに賃借権）の場合には、単に事後の救済に止まらず、現に継続中の侵害行為を排除してその権利を保全せしめる必要性がある。物権的請求権をもつて物権に固有のものだと考える立場にあつても、特殊な債権についてはこれを例外的に承認し、あるいは物権化した債権の場合は物権と同様に取扱うことを妥当とするなどの理由により、実質的に拡張せざるをえないゆえんである。

（二）　いま、物権的請求権の拡張をどこまで承認するかに関して判例の傾向を検討するに先立つて、その本質をどう理解しているかについての学説・判例の対立を概観しておこう。

(1)　第一は、絶対権・相対権の古典的区別にもとづき、物権的請求権は絶対権としての特質から流出するとする説（富井・川名・岡松・石坂など）で、この立場では債務者以外の第三者による債権侵害そのものが否定される。

(2)　権利の不可侵性ということは物権に固有なものではなく、権利一般の通有性といえるが、それは単に不法行為責任の根拠となるに過ぎず、妨害排除請求権は物権の排他性から由来する物権固有のものとする説(末弘旧説)も、債権には否定する点で第一説と共通している。

(3)　以上の二説に対して、権利の不可侵性にもとづいて妨害排除請求権をも広く権利一般について認めようとする説(末弘新説・平野・柚木旧説・松坂など)が、次で現れた。この立場は、不法行為の成立について権利の不可侵性を強調する考え方を、一歩飛躍して妨害排除請求権についても認めようとするわけである。後述するように、戦前の判例にはこの立場に立つものが比較的多い。ただし、戦前の判例がこの理論に依拠した具体的事案を検討してみると、概して占有を伴つた不動産賃借権の場合であつたことは、すでに指摘されている通りである。ただし、この理論を無制限に認めることは弊害も多いので、適用の限界を定める試みが提案されている。

(4)　妨害排除請求権の根拠を物権の排他性ないし支配権たる性質に求め、これらの性質を具有するに至つた権利については、広くこれを認めようとする説(我妻・柚木新説・戦後の判例など)は近時有力となつている。最高裁の立場がほぼこの説に固定した感があることも、強力な裏付けとなつている。

(5)　さらに、不法行為の成否を判断するに当つて、被侵害利益の強固さの程度と、侵害行為の悪性の程度との相関関係を考慮するという考え方を発展させて、妨害排除請求権の認否についても相関的判断によろうとする説(舟橋・物権法)が、最近登場してきた。

(6)　ところが他方においては、物権的請求権をまさに物権の絶対性と表裏をなすものとして、換言すれば、近代法の特質をなす物権・債権峻別の立場に立脚して、これを物権にのみ認めることを原則としながら、占有訴権や債権者代位権の利用によって、実際上妨害排除を拡張しようとする説（川島新説・来栖・好美・など）がある（判例・学説の対立を概観し、要領よくまとめたものとして、舟橋・物権法二七頁以下があり、好美「債権に基く妨害排除請求について の考察」法学研究2や柚木「債権に基く妨害排除請求権」神戸法学五―一・二も論点を明らかにしてくれる。）。

以上のように、第三者の債権侵害について妨害排除請求権を認めるか否かに関しては、諸説の対立があり、その理論的根拠も極めて多彩にわたつているが、実際的には、なんらかの形式における公示方法（必ずしも対抗要件としての公示方法に限らない、したがつて不動産についても占有を具備した場合が考えられる）を伴つた賃借権とくに不動産賃借権に対する侵害があつた場合に争われることが多い。しかもかかる場合には、一般にこれを承認する点においては、諸学説・判例とも異なるところはないといつて差支えない。結局のところ問題点は、それ以外にも広く一般的に、または制限をした上で妨害排除権を認める必要があるか否か、かつその場合には、いかなる原則、理論的根拠にもとづいてこれをなすかにかかつている。以下、判例の趨勢に従つて検討を加えよう。

二　戦前の判例

（一）　権利の不可侵性を理由に是認した判例

判例は先に記したように、大正四年以来不可侵性説に立つて不法行為責任（金銭賠償）を肯定する態度を示してきたが、妨害排除請求権については当初否定的であった（後掲【33】の判例参照）。これはおそらく当時の有力説が、物権的請求権は物権の排他性から生ずるとしていたことに影響されたものであつたろう。ところが、大正十年十月に至つて、専用漁業権の侵害が問題になつた事件においてこれを肯定するに至つた。

【28】　被上告人X（ほか一名）は訴外A漁業組合より専用漁業権を賃借し同漁場において漁業をなしていた

ところ、上告人Y（ほか十名）が無権限にて同漁場で漁業をなしたので、Xは右賃借権にもとづき、賃借権確認ならびに漁業差止の本訴を提起するとともに、漁業禁止の仮処分を申請し、その決定を得た。よってYは、右仮処分決定を認可した第一審判決ならびに控訴審判決に対して上告したのが本件である。

（上告理由）「漁業権ノ賃貸借ニ付キ民法賃貸借ノ規定ヲ準用スヘキコトハ旧漁業法ニ於ケル御院ノ解釈ニシテ新漁業法ニ於テモ亦当ニ然ルヘキヲ信ス……既ニ漁業賃借権ヲ債権トセハ其結果賃借人ハ法律ニ特別規定（民法第六百五条等）アル場合並ニ第三者カ故意又ハ過失ニ因リテ之ヲ侵害シタル場合ノ外第三者ニ対シテ其権利ヲ主張スルコトヲ得ス然ルニXノ訴ハ法律ノ特別規定ニ基クモノニアラス即チ自己ノ漁業賃借権ヲ基本トシYカ何等ノ権利ナク同所ニ於テ漁業ヲ為スコトノ不法ヲ鳴ラシYニ対シテ賃借権確認並ニ漁業差止ヲ請求スルモノナルコト既述ノ如シ左レハ其訴ハ畢竟漁業賃借権ノ不法侵害ニ対スル救済ヲ請求スルニ帰ス果シテ然ラハ不法行為ノ救済方法ハ民法第七百二十三条ヲ除ク外唯金銭的賠償ノ請求ヲ許スノミ此以外不法行為者ニ対シ賃借権確認並ニ漁業差止ヲ請求スルカ如キハ法律ノ認ムル所ニ非ス左スレハXノ訴ハ法律ノ認メサル救済ヲ請求スルモノニシテ之ヲ許スヘカラサルヤ明白ナリ……或ハXノ訴ヲ以テ占有権ニ基クモノナリト解シ以テ仮処分決定ノ不法ニ非サルコトヲ弁護スル者アラン然レトモXノ訴カ占有権ニ基クモノニ非サルコトハ(一)……(四)ノ事実ニ徴シ極メテ明瞭ナリ……」

（判旨）「然レトモ権利者カ自己ノ為メニ権利ヲ行使スルニ際シ之ヲ妨クルモノアルトキハ其妨害ヲ排除スルコトヲ得ルハ権利ノ性質上固ヨリ当然ニシテ其権利カ物権ナルト債権ナルトニヨリテ其適用ヲ異ニスヘキ理由ナシトス記録ヲ査スルニX等ハY等ヲ相手方トシテ福江区裁判所ニ対シ本件仮処分ノ申立ヲ為シ其理由トシテ陳述スル所ニ依レハX等ハ長崎県……A漁業組合ノ権利ニ属スルTヨリO迄ノ海面（T湾）ノ鰛専用漁業権ヲ同組合ヨリ賃借シ同漁業ヲ為シ来リタルニY等ハ何等ノ権利ナキニ拘ラスX等カ漁業ヲ為スニ際シ之ヲ妨害スルヲ以テ其妨害ヲ禁止スル為メ仮処分ノ申立ヲ為スト云フニ在リテ同裁判所ハ其申立ニ基キ右妨害禁止ノ仮処分決定ヲ為シタルコト明瞭ナリトス左レハ右決定ハ冒頭説示ノ理由ニヨリ之ヲ正当ナリト認ムヘク原院カ右

仮処分決定ヲ認可シタル第一審判決ヲ相当ナリトシY等ノ控訴ヲ棄却シタルハ洵ニ正当ニシテ本論旨ハ結局其理由ナシトス」（大判大一〇・一〇・一五民録二七・一七八八、評釈末弘・判民一四八事件）。

この判決に対して末弘博士は、画時代的な重要な判例だと評価した。しかしながら判決が、その根拠をなんら説明するところなく、「権利ノ性質上固ヨリ当然」としたのに対し、これを理論的に解説しようと試みた。すなわち、それまで博士は、物権的請求権の根拠を物権の排他性から由来すると説いてきたのに反し、「排他性は一の物がすでに一支配権の目的となれる以上同一物の上に第二のこれと相妨ぐべき内容の権利を成立し得ざらしむる効力である。したがつて第二の物権的処分行為を排斥するためには排他性を必要とする。これに反し、あえて権利によることなく、ただ事実上侵害をなす者あるに際しこれを排除するがためにはなんらの排他性を必要とするわけがない。その事実的侵害行為が違法でありさえすればいいわけである。……損害が生じた場合に賠償を許すくらいならば、何故に損害発生を予防すべき妨害除去の請求を許さないか。……物権に妨害除去の効力を認める以上——排他性をこそ有しないが——同じく不可侵性を有する債権についても妨害除去の効力を認めていいわけである」として、不可侵性からこれを肯定すべきことを主張した（前記、評釈参照）。

次で判例は、河川敷地およびその堤防の占用権侵害の場合に肯定した。

【29】　被上告人Xは岐阜県知事の許可によりA堤防敷地および河川敷地に永久の占用権を、B堤防敷地に五年間の占用権を取得していたのに、上告人Yはなんらの権原なくしてA地を石置場に使用し、かつB地上に十坪の家屋を建てて右占用権をそれぞれ侵害したので、石および家屋の取払を求めたのがこの事件の概要。Yは右占用権は公法上の権利であって司法裁判所の管轄事項ではないと主張したが、大審院は、右占用権は「物権

ニモ属セス又債権ニモ属セサレトモ地方行政庁ノ許可ノ範囲内ニ於テ私益ノ為之ヲ占有使用スルコトヲ得ル権利ニシテ一種ノ財産権タル私法上ノ権利ニ属スルモノト為スヘキモノトス」と判断した上で、妨害排除請求権を肯定する論拠を次のように述べた。

「何人ト雖他人ノ権利ヲ侵害スルコトヲ得サルモノニシテ苟モ権利タル以上反対ノ規定ナキ限其種類如何ヲ問ハス総テ対世的性質ヲ有スルモノニシテ対世的性質ヲ有スルモノハ唯タ物権ニノミ限ルモノニ非ス本件ノ占用権モ亦一種ノ財産権トシテ対世的性質ヲ有スルモノナルヲ以テ之ヲ侵害シタル第三者ニ対シテハ金銭賠償以外ノ請求ヲ為シ得ヘキモノニ非ストノ論旨ハ其ノ理由ナシ」（大判大一二・五・四民集二・二三五）。

判旨に明らかなように、大審院は、河川敷地および堤防の占用権は物権でもなく債権でもないが、一種の私法上の財産権だとした上で、いやしくも権利たる以上対世的性質を有するから妨害排除請求権は当然認められるとした（占用権者Xが現に占有していたか否かは明らかでない）。このような態度は次の判例に引継がれる。

【30】本件の係争地は被上告人Xの境内地の一部であり、官有地第四種に属しXが管理権を有していた土地である。上告人Yは（Xより賃借したAから転借したと称するが）なんらの権限なくこの土地の上に建物を所有するので、XがYに建物を取りこわし収去を請求したのがこの訴である。原審では、土地の管理権を有するものは侵害者に対して侵害排斥の請求をなしうべきは論なきところであり、またYが転借権その他の利用権を有する事実も認めがたいとした。そこで、Yは管理権についての法律上の根拠および当事者適格の欠如について争ったが――

「大正十一年四月一日ヨリ施行セラレタル……国有財産法第二十四条第一項ニハ従前ヨリ引続キ寺院又ハ仏堂ノ用ニ供スル雑種財産ハ勅令ノ定ムル所ニ依リ其ノ用ニ供スル間無償ニテ之ヲ当該寺院又ハ仏堂ニ貸付ケタルモノト看做ストアリテ寺院タルXノ用ニ供スル土地即チ春光院境内地カ国有財産ナルコト争ナキ所ニシテXカ同法施行前ヨリ其ノ土地ヲ使用セルコトハ原判決ノ認ムル所ナレハXハ同法施行以後ニ於テハ該土地ニ付無

償ノ使用権ヲ有スルコト明カニシテ同法施行前ニ於テモ該土地ハ明治七年太政官布告第百二十号ニ依リ官有地第四種ニ属シ寺院タルXニ於テ之カ使用権ヲ有スルコトハ明治二十六年内務省令第三十六号ニ依リ之ヲ知ルニ難カラス而シテ此ノ使用権ハ物権タルト債権タルトヲ問ハス不可侵性ヲ有スルモノナレハ之ヲ妨害スル者ニ対シ其ノ妨害ノ排除ヲ請求スルコトヲ得ルモノト謂ハサルヲ得ス（大正十年(オ)第六六九号同年十月十五日当院判決参照）本件ニ於テYカXノ用ニ供スル土地ニ対シ賃借権其ノ他何等ノ権利ヲ有セスシテ其ノ地上ニ家屋ヲ所有シ之ヲ不法ニ占有セルコトハ原判決ノ認ムル所ナレハXハYニ対シ之カ妨害排除ヲ請求スルコトヲ得ルモノト謂ハサルヲ得ス然ラハ原判決カXノ本訴請求ヲ認容シタルハ相当ニシテ上告論旨ハ理由ナシ」（大判大一二・四・一四民集二・二三七、評釈、平野・判民四五事件）。

これら相次いで現れた三つの判決によつて、権利の不可侵性にもとづいて妨害排除請求権が認められるべきであるとの原則はわが判例法上一応確立したとも考えられた。ただ、これらの事案はいずれも占有を伴つた場合であつて、占有訴権により妨害排除を請求することが可能であつたケースであることに注意を要する。そして、戦前においてはこの種の判例が支配的であつた。すなわち、

【31】　上告人X会社が登記した賃借権を有する土地の上に被上告人Y会社が勝手に軌道を敷設して、Xの賃借権を侵害したので、その明渡を求めたのが本件の事実関係。原審は、債権たる賃借権の場合にあつては占有権にもとづく場合は格別として、賃借権のみを基本とする本訴に対しては私権保護を与えるべきでないとしたが——

「依テ按スルニ物権タルト債権タルトヲ問ハス第三者カ之ニ対シ不法行為ヲ繰返ス恐レアル場合ニ於テハ其ノ権利者ニ於テ第三者ニ対シ将来権利侵害ヲ為スヘカラストノ不作為ノ請求権ヲ有スル事勿論ナレハ第三者ノ為シタル不法行為ノ現存スルモノアランカ之カ妨害ノ排除ヲモ請求シ得ルモノト為ササル可カラス（大正十年

（オ）第六百六十九号同年十月十五日判決――【28】事件――参照）左レハ原審カ所論摘録ノ如ク判示シ賃借権タル債権ニ基キ賃貸借ノ目的上ニ存スル第三者ノ妨害排斥ヲ訴求シ得サルモノト解シ上告人ノ本訴請求ヲ排斥シタルハ違法ニシテ原判決ハ全部破毀ヲ免レス」（大判昭五・九・一七、新聞三一八四・七）。

【32】　本件の事案は前掲【30】の場合と類似しており、寺院境内地使用権の侵害に関するものである。原審が、「凡ソ権利者カ自己ノ為メ権利ヲ行使スルニ当リ之ヲ妨クルモノアルトキハ其妨害ヲ排除スルコトヲ得ヘキハ権利ノ性質上固ヨリ当然ニシテ其権利カ物権タルト債権タルトニヨリ其適用ヲ異ニスヘキ理由ナケレハ」としたのに対し、上告人は、「債権カ侵害セラレタル場合債権者カ直接妨害除去請求権ヲ有スルヤ否ヤハ債権ノ不可侵性ト別個ノ問題ニシテ債権者ハ……単ニ損害賠償請求権ヲ有スルニ過キス」として、後掲【33】の判決を援用したが――

「然レトモ国有財産法施行以前ヨリ明治七年太政官布告第百二十号明治三十六年内務省令第十二号第一条ニ依リ国有土地カ寺院ノ境内地トシテ其ノ用ニ供セラレタル場合ニ於テハ国有財産法施行以後寺院ハ同法第二十四条第一項ニ依リ該土地ニ付無償ノ使用権ヲ有スヘク此ノ使用権ハ物権タルト債権タルトヲ問ハス不可侵性ヲ有シ不法ニ之ヲ侵害スル者ニ対シ寺院ハ其ノ妨害ノ排除ヲ請求シ得ヘキモノトス是レ既ニ当院ノ判例トスル所ナリ（大正十一年（オ）第一一三〇号同十二年四月十四日当院判決――【30】事件――参照）」（大判昭六・四・二八、新聞三二七〇・一〇）。

右判例以後においても、この線に沿つた判例は、前掲の大判昭六・五・一三―【22】事件―、大判昭八・七・八――【17】事件――と続いているが、戦後においては跡を絶つている（後記参照）。

㈡　占有を具備しない債権に否定した判例

占有を具備しない債権（実際的には、ほとんどの場合が賃借権に関するものであるが）に対する侵害の場合には、後述のように、妨害排除請求権を否認するのが戦後の判例の趨勢といえるが、戦前においても、少数ながらこの傾向のものが見られる。前記(一)の諸判例も、また以下に記す判例もいずれも、占有の有無とは無関係に妨害排除請求権をあるいは肯定し、あるいは否定しているが、当該案件を比較対照してみると、占有の有無と符節を合していることが明らかになる。そこには、占有を具備しない債権の場合には、侵害者の側に債権の存在に対する認識が欠如しているのが常であるとの判断が働いているようにも思われるが、判旨そのものから読取ることはできない。しかしそれにしても、戦後の最高裁の考え方がこのような旧大審院判例の傾向を受け継いだものであることは確かであろう(後掲【52】【53】参照)。この種の判例が大審院に登場したのは、権利の不可侵性を理由に妨害排除請求権を肯定するに至った前掲【28】の判例が出る少し前のことであった。

【33】　係争地所は被上告人Xが東京市より賃借したものであるが、上告人Yは従前より右地所を無権限にて占有し建物を所有しているので、建物を収去し土地の明渡を請求したのが本件。原審は、賃借権が物に対する支配権であることを第一の理由に、かりに債権だとしても、第三者の債権侵害は不法行為となるから、その不法行為が現在なお存在し、将来においても継続すべき状態にあるときは侵害状態の除去を請求しうべきものと解すべきであるとして、Xの請求を認めたが――

「賃借権ハ縦令之ヲ支配権ナリト論スル学説アルニセヨ我民法ニ依レハ一種ノ債権ナルコト同法ノ規定上明白ニシテ今更多言ノ要ナシ而シテ故意又ハ過失ニ因リ他人ノ債権ヲ侵害シタル者ハ不法行為ノ責アルコト本院判例(大正三年(オ)第四二五号大正四年三月二十日言渡【4】事件)ニモ示ス所ナレハ故意又ハ過失ニ因リ他人ノ賃借権ヲ侵害シタル者アルトキハ被害者タル賃借人ハ其不法行為者ニ対シ損害ノ賠償ヲ要求スルコトヲ得ヘシト雖モ損害ノ賠償ハ別段ノ意思表示ナキトキハ金銭ヲ以テ其額ヲ定ムヘキコト民法第四百十七条ニ規定スル所ナルカ故ニ賃借人ハ其占有ニ係ル賃借物ヲ他人ノ為メ不法ニ占有セラレタル場合ニ於テモ占有権ニ基ク訴

ニ依リ其物ノ返還ヲ請求スルハ格別賃借権若クハ損害賠償請求権ニ依リ之カ引渡ヲ請求スルコトヲ得ヘキニアラサルナリ抑モ被上告人Xノ請求原因トシテ主張スル所ハ係争地所ハXカ東京市ヨリ賃借シタルモノナル所上告人Yニ於テ従前ヨリ該地上ニ建物ヲ所有シ居リテ之カ明渡ヲ請求スルモ応セサルヲ以テ本訴ニ及フト云フニ在ルコト原判決及ヒ之ニ引用スル第一審判決ノ各事実摘示ニ徴シ明瞭ニシテ自己ノ占有権ヲ侵害セラレタルコトヲ主張スルモノニアラサレハ縦令Xハ東京市ヨリ本訴地所ヲ賃借セルモノナルコト及ヒYカ同地所ヲ占有スルハ何等ノ権限ニ基カサルモノナルコト原審認定ノ如クナルニセヨ本訴請求権ハ到底認容スヘキモノニアラサルコト前説明ノ如シ然ルニ原審カXニ損害賠償ノ請求権アルコトヲ理由トシ賃借地ノ明渡ヲ請求スルコトヲ得ル旨判定シタルハ不法ニシテ原判決ハ破毀ヲ免レス」（大判大一〇・二・一七民録二七・三二一）。

その後、前掲一連の判決が出て大審院の態度がほぼ固まったかに見えた以後においても、これに反する判例がないわけではない。

【34】　上告人Xは遅くとも大正九年三月以前から被上告人Y_1より本件係争地を賃借し建物を所有してきたが、関東大震災にあって建物を焼失した。Y_2 Y_3は震災直後の大正十二年九月下旬、なんらの権限なく（Y_1より期限の定めなく本件土地を賃借したと主張するがその証拠なし）建物を建設して本件土地を占有使用し、Xの賃借権を侵害したが、Y_1はこれに対しなんらの妨害排除の手段を講じないばかりか使用料相当の金銭の支払を受けて満足しているので、Y_2 Y_3に対し両人の占有する地所の坪数に按分して損害賠償を請求するとともに、建物収去土地引渡を請求したのが本件の概要。大審院は、賠償額の算定について原審の立場を是認するとともに、後者の請求についても上告理由を認めなかった。

「然レトモ第三者カ故意又ハ過失ニ因リ他人ノ賃借権ヲ侵害シ賃借物ノ占有ヲ不法に侵害シタル場合ニ於テハ賃借人ハ占有権ニ基キ訴ニ依リ其ノ物ノ返還ヲ請求スルハ格別賃借権ニ依リ加害者ニ対シ之カ返還ヲ請求スルコトヲ得ヘキモノニ非サルコトハ当院ノ判例トスル所ナリ（大正九年（オ）第六百八号大正十年二月十七日判

決【33】事件参照）本件ニ付之ヲ観ルニXヨリY_2 Y_3ニ対スル訴旨ハ右両名ハ本件土地ニ付Xノ有スル賃借権ヲ侵害シ地上ニ建物ヲ建設シテ該土地ヲ不法ニ占有スルニ因リ賃借権ノ侵害ヲ原因トシテ右建物ノ収去並土地ノ明渡ヲ求ムト云フニ在リテ本訴ハ占有権ニ基ク訴ニ非サルコト記録上明白ナルカ故ニ原判決カ論旨摘録ノ如ク説示シXノ右請求中建物ヲ収去ノ上土地ノ明渡ヲ求ムル部分ヲ排斥シタルハ前段説明ノ理由ニヨリ相当ニシテ論旨ハ理由ナシ」（大判昭五・七・二六新聞三一六七・一〇）。

この事案の場合は、賃借人Xに必ずしも占有がないとはいえないであろうから（建物焼失後においても、同宅地の占有は依然継続しているとみるべき場合は少なくない。大判昭五・五・六新聞三一二六・一六参照）、前掲【33】のケースとは事情を異にしている。しかし、震災直後の焼野原であつてみれば、Xの占有が依然として成立していたか否か疑問である。判旨の背後に、そのような考慮が働いてはいなかつたであろうか。なおこの型に属する大審院判例は、このほかには戦前は見られない。

ところで、戦前の判例では占有の有無が妨害排除請求権の認否を決する重要な要素とされていたのに対比して、対抗要件の有無が問題とされた事例はあまり存しない（もつとも、前掲【33】、【34】の事案はともに占有を伴わないと同時に、対抗要件も具備しないケースである）。

(三)　対抗要件を具備した債権に否定した判例と肯定した判例

対抗要件を具備した債権（実際問題としては賃借権について争われることがほとんど）について、妨害排除請求権を認めるか否かの問題は、結局最高裁判例の出現を待たざるをえなかつた。戦前の判例は、この点に触れるものが少ないが、次のように、これを否定した古い判例と、特殊な賃借権（もつとも、戦後の最高裁がこれを肯定した場合の具体的事案も、すべて罹災建物の借地権に関している）についてこれを肯定した比較的新しい判例とがある。

【35】「上告理由第一点ノ要旨ハ上告人カ係争物上ノ賃借権ヲ明治三十六年二月二十二日登記セシ事実ヲ原院ハ認メナカラ其不法占拠者タル被上告人ニ対スル請求ヲ排斥スルニ方リ民法第六百五条ヲ解釈シテ同条ハ唯登記後賃借物ニ付キ物権ヲ取得シタル者ニ対シテノミ其効力ヲ認メタルモノニシテ爾他ノ者ニ対シテハ不法占拠者ト雖モ之ニ対抗スルコトヲ得サルモノトセラレタルハ不法ナリ何ントナレハ民法第六百五条ニ依リ賃借権者ヲ登記シタルトキハ爾後正当ニ物権ヲ取得シタル者ト雖モ之ヲ以テ賃借権者ニ対抗スルコトヲ得サル以上ハ嘗テ何等ノ権利ヲ取得シタルコトナキ不法占拠者ハ賃借権ノ登記後尚之ヲ占有シテ賃借権者ニ対抗スルコトヲ得サルハ同条ノ解釈上当然ノ結果ト云ハサルヲ得サレハナリト云ヒ」其第二点ノ要旨ハ凡ソ物権ハ之ヲ登記スルニ非サレハ絶対的第三者ニ対抗スルヲ得スト雖モ賃貸借関係ハ之ニ異ナリ其本質上登記ヲ要セサルモノナリ但登記ヲ経タルトキハ特ニ以後物権ノ取得者ニ対シテモ其効力ヲ及ホシ得ルコトヲ認メタルノミ故ニ苟モ賃借権トシテ存スル以上ハ仮令登記ナシト雖モ賃貸人カ積極的ニ賃貸スル義務ヲ負担スルト同時ニ一般ノ第三者ハ消極的ニ其権利ヲ侵害スルヲ得サルモノナルコトハ賃借権ニ関シ民法第百七十七条ノ如キ規定ナキト第七百九条ニ於テ不法行為ノ責任ヲ定ムルニ方リ其保護ヲ受クヘキ権利ノ種類ヲ限定セサルニ徴シテ明カナリ此点ヨリ見ルモ原判決カ賃借権者ハ不法占拠者ニ対抗スルヲ得ストセラレシハ不法タルヲ免カレスト云フニ在リ。

按スルニ本件不動産ノ賃貸借ニ付テハ上告人カ登記ヲ為シタル事実ハ原院ノ認ムル所ナリト雖モ民法第六百五条ノ規定ニ於ケル登記ノ効力タルヤ其登記ヲ為シタルトキハ爾後其不動産ニ付キ物権ヲ取得シタル者即チ其物権取得者タル承継人ニ対シテモ亦其効力ヲ有スト云フ法意ニ過キスシテ其以外ノ第三者トノ関係ヲ規定シタルモノニ非ス抑賃借権ハ債権ノ一種ニシテ賃貸人ト賃借人トノ関係ハ賃貸人ハ賃借人ニ或物ノ使用及ヒ収益ヲ為サシメ之カ目的ヲ達シ得ヘキ保存ヲ為スコトヲ要シ且其物ノ使用及ヒ収益ニ必要ナル修繕ヲ為スノ義務ヲ負フヘク又賃借人ハ賃借物ノ使用及ヒ収益ヲナスニ付キ之カ賃金ヲ払フヘキノミナラス若シ該賃借物カ修繕ヲ要

シ又ハ其賃借物ニ付キ権利ヲ主張スル者アルトキハ賃借人ハ遅滞ナク之ヲ賃貸人ニ通知スルコトヲ要スルヲ一般トス是民法第六百一条第六百六条及ヒ第六百十五条等ニ規定スル所ナリ故ニ賃貸借ノ契約ヲ締結シ之カ登記ヲ為シタルノミニテハ原判決ノ説明スル如ク第三者ニ対抗スルヲ得サルモノト云ハサルヲ得ス然リト雖モ賃借人カ全ク賃借権ヲ行使シ即チ其賃借物ノ引渡ヲ受ケ現実賃貸人ノ為メニ占有スルトキハ登記ノ有無ヲ問ハス民法第百九十七条末段ノ規定ニ所謂他人ノ為メニ占有ヲ為ス者トアルニ該当シ此場合ニ在リテハ不法行為ニ因リ其占有ヲ妨害スル第三者ニ対シ占有訴権ヲ行使スルヲ得ヘキコトハ同法条ニ依リ明カナリ然ルニ原判決ハ斯ル法条ヲ顧ミス単ニ賃借権ハ債権タルノ性質上其結約者以外ノ第三者ニ対シテハ絶対的ニ権利ヲ主張スルヲ得サルモノノ如ク判決シタルハ違法ナリト雖モ原判決ノ認ムル事実ニ拠レハ本件賃借物ハ上告人カ未タ以テ賃借物ノ引渡ヲ受ケス現実占有ヲ為ササルモノナレハ第三者タル被上告人ニ対シ何等ノ権利モ生セサルニ因リ結局上告人ノ請求ハ其理由ナキニ帰着ス」（大判明三八・四・一四民録一一・五九五）。

この判決は、対抗要件の問題は物権取得者に対する効力の問題でしかないから、それ以外の第三者の妨害を排除しうる効力をもちうるわけではないと判示した上で、もし賃借人が現に賃借物を占有している場合には占有訴権を行使できるが、占有を伴わない以上不法占拠者たる第三者に対してはなんらの権利を行使しえない、といっているから、占有を伴えば債権そのものにもとづいて排除請求ができるという趣旨ではなかった。その点で、この判決はやはり不可侵性理論以前のものでしかありえないし、対抗要件を具備する賃借権が新所有者には対抗できても、不法占拠者にはなぜ対抗できないかの理由についても、納得できる説明はなされていなかった。

ただ他方では、昭和年代に入って、特殊な賃借権（旧借地借家臨時処理法の保護を受ける賃借権）について、登記も占有もなくとも第三者に対抗できる、したがって妨害排除請求も認められるとしたものがある。特殊の対抗要件が立法によって認められているケースであるが、対抗要件を具備する場合には、妨害排除も可能であるとの判旨が伺われる。

【36】「昭和十年三月七日訴外BカAヨリ本件敷地ヲ買受ケ同月十三日其ノ所有権移転ノ登記ヲ了シタルコトハ既ニ説明シタル如ク当事者ニ争ナキトコロナレトモ控訴人YカBヨリ右敷地ヲ賃借セルコトニ付テハ……疎明スルニ足ル証拠ナキノミナラス仮リニ斯ル賃貸借ノ事実アリトスルモ被控訴人Xカ本件土地ニ付キ有スル賃借権ハ既ニ認定セル如ク大正十二年九月一日ノ震災以前ヨリ存続シ来リタルモノニシテ震災前ニハ其ノ借地上ニ建物ヲ有シ震災ニ因リ滅失シタルモノナレハ借地借家臨時処理法第七条ニ依リ借地権ノ登記ナク又其ノ土地ノ上ニ震災後存スル建物ヲ有セス従ツテ地上ノ建物ノ登記ナクトモ此ノ借地権ヲ以テ大正十三年七月一日以後本件土地ニ付キ所有権ヲ取得シタル第三者ナル新地主Bニ対抗シ得ルノミナラス同人ヨリ昭和十年三月十三日右土地ヲ賃借シタリト主張シテ爾後之ヲ占有スルニ至リタルYニ対シテモ亦対抗シ得ルモノト謂フヘク従ツテXハYニ対シテ其ノ賃借権ニ基キ之レカ妨害排除ノ請求権ヲ行使シテ本件家屋ノ収去及其ノ敷地ナル本件土地ノ明渡ヲ求メ得ヘキモノナリト謂ハサルヘカラスYハ臨時処理法第七条所定ノ保護ヲ受クル借地権者ハ其ノ地上ニ建物ヲ所有スルカ又ハ少クトモ外部ヨリ認識シ得ラルル程度ノ土地ノ事実上ノ占有ヲ必要トスル旨主張スレトモ抑第七条ヲ設ケタル所以ハ震災ノ為メニ建物滅失シ損害ヲ受ケタル借地権者ハ或ハ其ノ窮乏ノ為メ其ノ借地上ニ仮設建築物ヲ建設スルコト能ハサル場合アリ或ハ震災後ノ復興整理ニ追ハレ仮設建築物ヲ建設スルモ其ノ建物ノ登記ヲ為ササル実情ニ在リテ従来借地人ノ保護ノ規定タル建物保護法ニ依リテ之カ保護セラレサルコトアリ而モ借地権ノ登記ヲ為スニハ地主ノ承諾ヲ得ルコト容易ナラサル結果実際上行ハレ難キコト多キヲ以テ此等ノ登記ナキ内ニ其ノ土地ニ付キ第三者カ権利ヲ取得シタル場合ニハ借地権者ハ借地権ヲ以テ第三者ニ対抗スルコト能ハサルニ至ルヘキヲ以テ此等ノ実情ニ鑑ミ震災地ノ借地権者ヲ保護スル為メニ本条ヲ設ケタルモノナリ従ツテ同条ニ依リ保護セラルル借地権者ハ震災前ヨリ借地権ヲ有シ震災ニ因リ其ノ借地上ノ建物カ滅

失シタル場合ナレハ足リ震災後其ノ借地権者カ借地上ニ建物ヲ所有スルコトハ必スシモ要件ニアラス……又借地権者カ外部ヨリ認識シ得ラルル程度ノ土地ノ事実上ノ占有ヲ必要トスルコトハ同条ニハ何等明規セサルノミナラス前記説明ノ如ク同条ノ立法趣旨ニ照ラスモ斯カル要件ヲ必要トセサルモノト解スルヲ相当トスルヲ以テYノ右主張ハ採用スルニ値セス」（東京控判昭一一・一一・二一新聞四一〇二・九）。

この判決に対する上告審においても、大審院は原審判決を支持した。

【37】「借地借家臨時処理法第七条ハ所論ノ如キ当該土地ニ対スル借地権者ノ占有ヲ必要トスル法意ニ非スト解スルヲ相当トスルカ故ニ此ノ点ニ関スル原判決ノ説明ハ正当ニシテ反対ノ見地ニ立脚スル所論ハ理由ナシ」（大判昭一二・七・一〇全集四・一三・三六）。

この両判決は、後掲【54】～【60】の最高裁判決のさきがけともいうべきもので、【55】の上告理由中でもこれを先例として引用していた。

三　戦後の判例

（一）下級審判例　戦後の下級審判例も最高裁の一連の判決が出るまではかなり動揺し、相反する傾向の判例が見られるが、漸次占有を伴う場合に限らず対抗力を具備する場合（特別法によって特殊な対抗力を賦与されている場合を含む）にも広くこれを肯定する方向に進んで行ったということができる。その意味では、昭和二十八年以降の最高裁判例を生み出す基盤は下級審によって準備されたとの評価も可能であろう。以下、これらの傾向を追って行くこととしよう。

(1) 債権には排他性のないことを理由に否定するもの　債権は特別法によって強化され、いわゆる賃借権の物権化という現象も見られつつあるが、その場合でも排他性を取得するものではないから、妨害排除は認められないとしたものがある。

【38】「賃借権が我が民法上一種の債権であることは同法の編別上の位置、規定の内容その他によつて明白であり、建物所有を目的とする土地賃借権については建物保護に関する法律、借地法等により、賃借人の地位が著しく強化されたことは疑いないけれども、それは未だ賃借権の債権である本質を変更するまでに至つたものと解すべきではない。而して債権は物権と異りいわゆる排他性のない結果たとえ対抗要件を備えた賃借権を有する者と雖も別個に賃借権の設定を受けた第三者の権利行使の結果による侵害をその賃借権に基き排除し得ないことは疑のないところである。このことは本件の如く罹災都市借地借家臨時処理法第十条によつて保護される賃借権と雖も異るところはないのである」（甲府地判昭二六・三・二〇下級民集二・三・三九五）。

この判旨は【54】以下の最高裁判例によつて否定されたが、対抗要件を具備したとしても排他性はない（所有権者には対抗できても、二重賃借権者には優先しないの意か）としているあたり、【35】にならうもののようであるが、説得力に乏しい（【54】の論旨と比較せよ）。

(2)　権利の不可侵性を根拠に肯定するもの　右の判決の方向とは反対に、権利の不可侵性から損害賠償請求のみならず妨害排除請求も認められるとしたものがある。【39】は、【28】ないし【32】の大審院判例にならつたものといえるが、物権化的傾向のある債権たとえば不動産賃借権の如き債権の場合は、侵害者に故意過失がなくても物権の場合同様に妨害排除請求が可能である、といつている点注目に値する。【40】の方は、これよりも制限的に、損害賠償請求権が認められるのと同様に（不法行為の成立が認められる限度において）妨害排除請求が肯定さるべきだ、としている。

【39】　原告Xは本件宅地につき賃借権を有し建物を所有していたが戦災により滅失。被告Yは昭和二十一年

十一月頃より家屋を建築して同地を無断で占有しているので、Xが明渡を請求したのが本件。

「元来特定の人の特定の行為を求める権利であり且公示を伴わない債権一般の性質としては直接第三者に対する侵害排除の請求を否定し賃借人としてはその占有権或は賃貸人の有する所有権に基く妨害排除請求権の代位行使の如き救済手段による外なしとの説もないではないが前記冒頭に引用した判例（【30】、【28】、【22】、【17】を指す）にも説示された通り債権も不可侵性を有し第三者による債権の侵害は不法行為を構成すべく侵害者に対しては損害賠償をなし得べきは勿論更に進んではその妨害の排除をも求め得るものと解するを相当とすべく殊に継続的な物に対する直接支配を内容とし且つ何等かの形式による公示方法例えば占有或は物の利用の現実の状態を伴う所謂物権化的傾向のある債権例えば不動産賃借権の如きにあつては侵害がたとい故意過失に基かないでも違法の状態さえ惹起せられる以上恰も物上請求権の侵害の場合と同様その妨害の排除を請求し得べきものと解するを妥当とする」（東京地判昭二二(ワ)二三〇号、昭二四・二・一九）。

【40】　被告Y_1は原告Xに対し、かねてXが保管している亡Aの荷物の留守番として本件二階に居住させてくれと懇請したので（Xは再三断つたが、Aの居住していた家屋が空いているから賃借を交渉する間二、三日でよいとY_1は詐つた）承諾したところ、現在に至るも立退かないので占有権にもとづいてこれが回収を請求したのがこの事件の概要。裁判所は、

「占有の侵奪とは占有者の意思に反して所持の全部又は一部を失うことをいうのであつて、詐欺に因る占有の喪失は占有者の意思に反するものではないから（Y_1が本件二階に居住することについてXは二、三日であるにもせよ承諾しているのであるから、従つてY_1がXの意思に反して右二階を占有したとはいえない）、占有の侵奪とはいえないのである」と述べた上で、

「以上認定の通りであるからXが本件二階について有する賃借権に基いてY_2（貸主）に対しては債務の履行としてその他の被告に対してはY_2に代位して本件二階の明渡を求めるか又は直接自己の賃借権の侵害を理由として本件二階からの立退を請求する場合（物権につき物上請求権として損害賠償及び妨害排除の請求権が認め

られるのはその排他性を有する故ではなく、その不可侵性に由来するものである以上、排他性のない債権についても債権侵害が可能な限度において損害賠償請求権が認められると同じように妨害排除請求権が認められるべきである）は格別、占有侵奪を理由としてY_1に対し本件二階の引渡を請求するのは失当であり……」（東京地判昭二五・四・一一判例タイムス四・二七、同評釈・古山）。

(3)　占有の有無を基準とするもの　この型に属する判例は、占有を伴わない賃借権には妨害排除が認められないが、占有を伴う場合にはこれが肯定される旨の判示を直接間接になしている。最初のもの（【41】）は転借権に関している。【42】は、賃借権者も債権者代位権によつて地主の明渡請求権を行使することはできるが、賃借権侵害を理由としては妨害排除は認められないとした。

【41】「債権者Xは前記転借権に基いて、債務者Yに対し妨害の排除乃至建物の引渡を請求する権利があると主張しているから、Xに右請求権があるか否かの点について考える。この点について、Xは、YはXが本件建物に転借権を持つていることを知り乍ら、右転借権を妨害する目的で債務者Aから本件建物を賃借したと主張しているがこの点に関するX本人の供述は……信用出来ないし又前示の如くXがYが本件建物を借受けるより前に、本件建物の正面に英文字で「シルク・ショップ」という店名を表示していたという事のみを以てしては未だ右事実を一応認めるに足る資料とはなし難く、他にYの悪意を一応認めるに足る何等の疎明がない。而もXが未だ本件建物の引渡を受けて居らないことは当事者間に争のない事実であるのに反し、Yは前段で認定したように、昭和二一年二月二日頃から引続き本件建物を占有しているのであるから、結局占有を伴わないXの転借権は特にこの転借権を害する為に設定されたものでない右Yの賃借権に対抗することができないものと解すべくXはYに対し右の転借権の妨害の排除若くは転借権に基いて建物の明渡を求めることはできないと解することは勿論である。」（東京地判昭二三年（モ）一四一三号、昭二三・一二・二四）。

【42】「元来賃借権は排他性のない債権であるからこれに妨害排除というような物権的な請求権を無条件に認めることは現行法律の下では許されないものと考える。然しながら賃借権も不可侵性を有する権利である以上これに加えた第三者の妨害に不法行為が成立し、且つその賃借権が占有を伴う場合には、不法行為者に対しては侵害排除のため物権的請求権を行使することができるものと解するのが正当であろう。

本件において被告Yが本件土地を使用する権限については、前記の外に何等の主張がないから結局Yは不法に土地を使用しているものというの外ない。従つてこれによつて原告Xの賃借権を不法に侵害するものと認むべきであるけれども、Aの賃借権は前記の通り地上建物の焼失とその際居住者全員の死亡によつて占有を喪失したものと推認すべきであるから、相続人たるXは占有を伴わない賃借権を承継したものであり、その後新に占有を取得したことについて何等の主張のない本件ではXの本件土地に対する賃借権は占有を伴わないものというべきであるから前記の理由によつて賃借権侵害を理由とする請求も認容することができない。

然しながら前認定の通り地主であるB会社はYに対して不法占拠を理由として本件建物の収去と敷地の明渡を求める権利を有すること明かであるからXが地主を代位してその建物の収去とその敷地の明渡を求める請求は理由がある。」（東京地判昭二六・四・一〇 下級民集二・四・五〇三）。

次の判例は結論として被告の反訴請求を権利濫用を理由に否認したものであるが、行論の途中において敷地利用を妨害する者に対しては排除請求の認めらるべきことを判示している（建物賃借人として敷地の占有を現になしている場合であつて、それに対する一部の侵害があつたケース）。すなわち、

【43】「被告が賃借権を有するものでないことは、先に認定した通りであるから、賃借権に基く右請求は、失当である。しかし被告が、一戸十五坪五合の建物を賃借した当然の効果として、その敷地約三十五坪三合三勺を利用することができることも、先に認定したとおりであるから、右利用権に基いて収去を求めるということになれば、おのずから別箇の問題である。原告は、被告の承諾を得て、右建物を新築したと主張するが、……

…被告本人尋問の結果と対比して信用できないから、原告は、右建物を建設所有することによって、賃貸人の義務に違背すると同時に、被告の敷地利用権を不法に侵害するものといわなければならない。そして、建物の賃借人は、その敷地の利用を妨害する者があるときは、それは第三者であると、敷地の所有者であるとを問わず、敷地の利用権自体に基いて妨害の排除を求めることができるものと考える。」（福島地判昭二五・九・一八下級民集一・九・一五〇三）。

(4)　対抗力を具備する債権に肯定するもの　この種の下級審判例は、前述のように一連の最高裁判例が出現する以前にはかなり見られるが、この場合もやはり罹災都市借地借家臨時処理法の対抗要件を具備したケースがほとんどを占める。

【44】「一般に土地賃借権は物権の如く直接土地を支配する権利ではなく、賃貸人に対して該土地賃借人に使用させるべきことを求め得る権利ではあるが、第三者が正当の権原なくして該土地に工作物を設けてこれを占有し賃貸人の義務履行を不法に妨げ、従て賃借人の土地使用をも妨げている場合には、賃借人は代位訴権によらず直接その賃借権に基き第三者に対して妨害排除、土地明渡を求め得べきことは権利の属性たる不可侵性としてこれを肯定せざるを得ないところである。而して第三者に対抗し得る土地賃借権についてこれを考うれば、第三者が該土地につき後に賃借権を取得した者であつても、該賃借権は本来の賃借人に対抗し得ず、却て本来の賃借人がその賃借権を以て第三者に対抗し得るものであるから、右の如き第三者が該土地を占有して本来の賃借人の土地使用を妨げている場合には、本来の賃借人に対する関係に於ては、前記不法占有の場合と何等その趣を異にしないから、本来の賃借人はかかる第三者に対して直接自己の賃借権に基き該土地の明渡を求め得るものと謂はなければならない。」（東京地判昭二二年(ワ)八五四号、同二四・四・一八）。

この判決は、正当な権原のない第三者が不法に賃借権を侵害しているときは、不可侵性にもとづいて妨害排除請求ができるとするとともに、第三者が新たに賃借権を取得した者であるときも、対抗要件を備えている場合に限つて賃借権の侵害としてこれを排除できることを明らかにしている。このほかにも、対抗力を備えた賃借権に排除請求を認めるものは多い。このうち、【45】は借家権の侵害に関するものであり、賃借権も目的物の引渡を受けているときは物権同様の支配権能をもつとして、その点に妨害排除請求の根拠を理由付けている。

【45】「賃借権は、……賃貸人から目的物の引渡を受けこれを使用収益している限りに於ては、事実上、直接物を支配する関係にたつから、この点に着目すれば賃借権は物に対する占有を正当ならしめる権原として、物権と同様の機能をいとなむものであると称して差つかえない。……従つて賃借権に対抗方法が講ぜられている場合には、物権に対すると同様のいわゆる追求効が認められてよいわけであるから、賃借人がその意思に基かずして、その目的物の占有を失つた場合には、占有回収の訴を提起するまでもなく、賃借権に基き、直接目的物の所在に追求して、その返還を請求し得べく、その物が賃貸人より、その後賃借権の設定を受けた者の所持にある場合でも、右追求の効力に影響のないこと勿論であつて、その後に生じた賃借権は前に生じたそれと牴触する範囲に於てその効力を失うものと云うべきである。……建物に対する賃借権はその建物の引渡によつて賃借人は賃借物に対する直接支配性と対抗力の両者を取得するに至ることは借家法の明認するところであり、従つて該建物の占有をこれを第三者に対抗し得る力を具有することになるのである。……【ところで】一度、その占有を失うときは、賃借人は目的物に対する直接支配性や対抗力を失うかどうか……。この場合質権のように占有の継続がその権利の対抗要件である……場合には占有回収の訴によつてのみその救済を求め得るかとの疑問も一応生ずるのであるが、……賃借権のように目的物を留置すること自体に直接意味を認めぬ権利にあつては、目的物の占有の継続を以て、必ずしもその物権的効力存続の要件と解するの要はない。登記の場合に於てもそれが登記権利者の意思に基かずして抹消された場合には、その登記の回復をなさずして、当該物権を第三者に対抗し得るのと同様賃借人が賃借建物の占有をその意思に基かずして侵奪せられた場合には、

占有回収の訴によつて之が回復をなすまでもなく、右賃借権に基きいわゆる返還請求権を行使するに差支えないものと云い得る。」（東京地判昭二四・六・一〇民判例特報五四）。

【46】「原告が賃借申出によつてえた賃借権は、他の者に優先する効力をもつから、たとい被告が……地主から右土地について賃借権をえていたとしても（その対抗要件をそなえていないことは、弁論の全趣旨によつて明らか）、原告はこれを否認することができるのである。

ところで、この処理法第二条、第九条にもとづく賃借権は、処理法が「他の者に優先して」と規定し、それを特殊な性格を帯びるものとして特に厚く保護していることに徴し、その設定のときにあたかも対抗力をそなえたもののように、従つてまた物権的な効力（これを侵害する者に対しては賃借権の効力として妨害の排除を求めることができるような力）を取得するものであるとして扱うのが相当である。」（東京地判昭二六・三・一七判例タイムス一六・五三）。

【47】「而してこの賃借権たるや他の発生原因によるものと異り、処理法が「他の者に優先して」と規定し、これを特に厚く保護しているところから見ればその設定されたときに当然対抗力をそなえ、従つてこれを侵害するものに対しては妨害排除を求め得る物権的な効力を帯有せしめた特殊な性格の賃借権であると解するを相当とする。……控訴人等の当審における㈣の抗弁は要するに本件賃借権も債権であつて対世的効力を付与せられたものではないから、一般原則により土地所有者に代位するか又は占有権を取得せる後でなければ控訴人Yに対する本訴請求は失当であるというのであるが、本件賃借権が物権的な効力を帯有する特殊な性格のものであることは前述の通りであるから被控訴人XがYに対し建物収去土地明渡を訴求するためには土地所有者に代位するの要なく、又占有権取得後なることも必要でないからこの抗弁も採用し難い。」（東京高判昭二七・三・二九下級民集三・三・四三三）。

【48】「（臨時処理法十条の規定は、罹災当時対抗要件を備えていなかつた賃借人についても、戦災がなかつたならばその後登記をする機会があつたと考えられるから、これを保護する趣旨であると判示した上で）、また賃借権者は、違法に賃借権を侵害する者に対しては、権利の性質上当然これが妨害の排除を求め得るものと解すべく、しかも前記法条は、従来の賃借人をして、一定の期間内にその土地について賃借権を取得した第三

者に対しても、自己の賃借権を主張し、これと相容れない権利を否定し、直接妨害の排除を求めることを許したものと解するを相当とするから、被控訴人は、前記賃借権に基き、控訴人に対し……明渡を求め得るものといわなければならない」（東京高判昭二七・一一・二八 下級民集三・一一・一六七八）。

右のほか、これらの判決と相前後して、処理法によつて認められる賃借権にもとづく妨害排除請求権には占有も登記も必要としないとした東京地裁昭二七・五・二九判決（下級民集三・五・七〇七）や、戦時罹災土地物件令六条の適用を受ける借地権者は罹災後に所有者から同一地を賃借した第三者に対し、直接妨害排除を請求できるとした東京地裁昭二七・七・二一判決（下級民集三・七・一〇〇二、この判決は【58】において最高裁により支持）などがある。また、臨時処理法関係以外のものとしては次のように【49】、賃借地上の建物につき登記したときは右賃借権は対世的効力を有するから、賃貸借成立前から占有（建物の敷地以外の部分について）を妨害している第三者に対しても直接妨害排除ができるとしたものがある（最高裁判例がほぼ確定した以後の判決でもある）。

【49】「さすれば係争地は原告の賃借地の一部に属し、被告の賃借した土地は係争地を含まないものというべきである。ところで原告が前記賃借地の上に所有する建物につき所有権保存登記を経由していることは当事者間に争がないところであるので、原告の右賃借権はこれによりいわゆる対世的効力を取得したものというべく（登記簿の表示と実際との間に多少の相違はあるが同一性の認識を妨げないと判断）、さすれば原告は右賃借権を妨害する者に対して直接賃借権に基いてその妨害の排除を請求し得るものとすべきであるところ、被告が係争地を原告において賃借した昭和二十四年四月一日当時既に占有し、現に該地上に……バラック一棟……を所有していることは当事者間に争がないので、被告はこれにより原告の係争地についての賃借権を妨害しているものといわなければならない。従って原告に対して右妨害を排除するため前記建物を収去して係争地を明渡すと共に右賃借権の妨害に基く損害の賠償として……係争地に対する相当賃料と同額の金員を支払うべきこと

を請求し得べきものである。」（東京地判昭二九・一二・一四下級民集五・一二・二〇三二）。

(5)　妨害排除請求と権利濫用　対抗要件を具備した債権には一般に妨害排除請求権を肯定すべきことを前提としながらも、当該案件の特殊性にかんがみこれを権利濫用になるとして否定した場合がある。所有権その他の物権にもとづく妨害排除請求の場合でもそういった事例は少なくないから（その顕著な事例として、宇奈月温泉事件――大判昭一〇・一〇・五民集一四・一九六五・判民一三〇事件（穂積）をあげることができる、その他の代表的事例については、舟橋・物権法三八頁参照）、債権についてももとより当然と考えられる。次の【50】のケースは土地所有権にもとづく妨害排除請求が濫用とされた場合と極似している。

【50】「その後原告Xもまた、さきの戦災家屋の賃借人として、臨時処理法三条の規定にもとづき、Aに対し本件土地の賃借権譲渡の申出をし、Aはこれを承諾して、昭和二十二年三月七日両者の間に本件土地賃借権の譲渡契約ができたことを認めることができる。しかし本件土地中(イ)の部分の賃借権はすでに被告Yに譲渡された後であつたから、XはなおAがもつていた(ロ)の部分の賃借権を得たにすぎなかつたのである。

被告Yが本件(イ)、(ロ)の両地にかけて本件家屋を所有し、現に右両地を占有していることは、当事者間に争いがない。そしてYは、(イ)の部分については所有権にもとづいて適法に占有しているのであるが、(ロ)の部分については権限なくして占有していることは、さきに認定した事実から明らかである。……本件(ロ)の土地に接続しているBの所有地について、原告Xが賃借権その他これを使用できる権原をもつていないことは、検証の結果と弁論の全趣旨上明らかである。しかも(ロ)の土地は、間口約一尺二寸、奥行約五間余の狭隘な帯状の土地である。Xにとつては、それ自体独立しての利用価値がほとんどない土地といわなければならない。これに反し、Yが(ロ)の部分を明け渡すためには、本件家屋中(ロ)の土地に侵入している巾一尺余、長さ五間余の部分を帯状にとりこわさなければならない。その部分をとりこわすことは、家屋の構造上はなはだ困難であるばかりでなく、更にその後の模様替等をしなければならないのであり、そのためにかなり多額の費用が要ることは明らかである。Xが本件(ロ)の土地を使用できない場合の損害に比べて、Yが(ロ)の部分を明け渡すことによつて蒙る経済上の損失は、はるかに大きいのである。かような事情のもとに、Xが(ロ)の部分について賃借権をもつていることを理由として、Yにその明渡を求めることは、権利行使の正当な範囲をこえて、権利を濫用することになる、といわなければならない。権利の濫用は許されない（民法一条三項）。Xは(ロ)の部分についても、賃借権にもとづいてYにその明渡を求めることができないのである（かようにいつても、Yが無償で(ロ)の部分を使つていいわけでないことは、いうまでもない）」（東京地判昭二八・二・二六下級民集四・二・三一二）。

この場合裁判所は、賃借権の侵害が違法なことは当然としても、その救済は損害賠償で足り（「無償で使つていいわけではない」といつている意味）、妨害排除請求はかえつて権利濫用になると判断しているのである。その立場はまさに、「妨害排除の実現を認めることによつて生ずべき侵害者の犠牲の程度と、妨害排除を否認することによつて生ずべき被害者の不利益の程度なども相関的に考慮して、妨害排除請求の存否を決しよう」とする学説（舟橋・物権法三七頁）と同一の立場に出るものといつてよかろう。

このほか、借地権者が建物収去を命ずる判決を得ても、借地権終了の時までに建物を建てることが事実上不可能なときは、建物収去土地明渡の請求は権利の濫用として許されないとしたものがある。

【51】　「右認定事実と弁論の全趣旨によると、本件の場合において、昭和三一年九月一四日までに、原告X本人尋問の結果によつて認められるXが企図している工事費七、八千万円程度のビルディングを建築するに最少限度必要な日数を残し、それより以前に本件建物収去の執行が行われることは不可能と認めざるをえない。

前認定のように、昭和三一年九月一四日までにXが本件宅地上にその意図する建物を建築することが事実上不可能である以上、借地法第四条の適用の余地なく、……同月一四日をもつて期間の満了とともに消滅するであろうと推認せざるをえない。

一方、証人Aの証言及び被告Y本人訊問の結果によれば、本件建物は医師十一名をようし、入院患者三五、六名、外来患者一日約二百名の総合病院の用に供せられていることが認められるから、かりにこれが収去された場合、Yらは多大な損失をこうむるものであろうことが窺える。

そうだとすると、Xは爾今僅か約三カ月余の残存期間しかない借地権を有するにすぎず、新たに建物を建築する暇もなく、従つてそれによりさしたる利益も受けることができないのに反し、Yらに対しては、徒らに多大な損失を与えるのみであるから、Xの本件借地権に基く明渡請求権の行使は、権利の濫用として許されないものといわなければならない。」（神戸地判昭三一・七・一二 下級民集七・七・一八三二）。

【50】と【51】の事件は、ともに臨時処理法の適用を受ける借地権で対抗力を賦与されている場合であつた。そして、結論としては妨害排除請求を権利濫用として否定したものの、一般論としては賃借権にもとづく妨害排除請求を肯定している点が注目される。

(二)　妨害排除請求を否定した最高裁判例

戦後の下級審判例が上述のようにかなり動揺を続けたことは、この問題に関して頼るべき判例が戦前の大審院において確立されなかつたことにもとづくといつてよい（前掲【37】の判例が戦後の最高裁判例の先駆をなしていることは認めるとしても、判示は控訴審判決を単に肯定しただけであり、理論的根拠は明らかにされていない。のみならず、この種のものが単に一例しか見られなかつたことは、たとえそれが比較的最近の判例だとしても、下級審をリードする力を欠いていたことは当然のことであつた）。二八年末から三〇年にかけて相次いで下された、以下に記す九の最高裁判決は、この意味で画期的ということができる。では、戦前の大審院判例といかに異なつているか。最初の判例【52】は第一小法廷から登場した。

【52】　上告人Xは、昭和十八年以来訴外A会社との間の契約により本件B石灰石山の全地域（旧鉱、新鉱を

包含）にわたる土地使用権を取得し、占有しきたつたところ、被上告人Yは右新鉱地域の部分に無断侵入して石灰石を採掘しているので、XはYに対して債権にもとづく妨害排除ならびに占有権にもとづく妨害の停止および予防を求めて仮処分を申請したのが事件の概要。裁判所は、新鉱地域である本件土地を訴外会社から引渡を受けて引続き占有しているとのXの主張事実については、原審が疏明を得ずとしている点、是認できるとしてこれを退けたほか、債権にもとづく妨害排除請求権については次のように述べて否定した。

「しかし、或る特定人間の債権契約は、その契約の当事者間において、債権者は債務者に対し或る一定の作為又は不作為の給付を請求することを得る法律上の権利を取得するに過ぎないものであつて、債権者は直接第三者に対して債権の内容に応ずる法律的効力を及ぼし第三者の行動の自由を制限することを得ないのを本則とする。ただ第三者の不法行為により債権の侵害され得べきことは近時一般に認められるところであるが、それは損害賠償の請求を認める限度において肯定さるべきであり、これがために債権に排他性を認め第三者に対し直接妨害排除等の請求を為し得べきものとすることはできない。果して然らば、仮りにXと訴外A会社との間にX主張のような全地域の使用収益を為し得べき契約が成立したとしてもXがその契約上の債権者として第三者であるYに対する本訴請求を許すべきでないことはその主張自体に照らし明らかであるといわなければならない」（最判昭二八・一二・一四民集七・一二・一四〇一、判時一九・二二）。

この判決は、妨害排除権は排他的効力を有する権利についてのみ認められるべきことを前提として、債権には排他性がないからという理由でこれを否定するとともに、間接的に、占有を取得しただけでは妨害排除権は認められない趣旨を明らかにしたものであつた。けだし、占有の疎明がないから占有訴権も認められないという以上、占有を具備したとしても、それは占有訴権にのみ関係することであり、債権そのものにもとづく妨害排除請求権とは無縁であることは当然であつたからである。ただし、債権であつても対抗要件を具備した場合はいわゆる物権化しているわけで、この種の債権について物権化即排他性取得として妨害排除請求権を認める趣旨であるか否か、したがつてこれを肯定した第二小法廷の立場（【54】参照）と矛盾するところがないかどうかが、当初疑問とされた。しかしこの点は、後に明らかにされた（次節㈢参照）。

右【52】の判決が出て程なく、第三小法廷でも、賃借人であるというだけで（なんら特別の事情なく）賃借権妨害を理由として妨害排除請求をなすことは認めらない、とする判決が現れた。

【53】「よつて案ずるに原判決の趣旨は上告人は本件バラックを所有することにより、その敷地たる本件被上告人等の賃借地を占有し、よつて被上告人等の賃借権を侵害するものなること明であるから、上告人は被上告人等に対して右バラックを収去してその敷地を明渡さなければならぬ、というにあること原判文上明である。しかし債権者は債務者に対して行為を請求し得るだけで第三者に対して給付（土地明渡という）を請求し得る権利を有するものではない（物件の如く物上請求権を有するものではない）。それ故被上告人は土地の賃借人であるというだけで（何等特別事由なく）当然上告人に対し明渡という行為を請求し得るものではない。このことは原判示の如く上告人が被上告人の賃借権を侵害して居るからといつて異る処はない。それ故この点に関する論旨は理由があり、原判決は破棄を免れない」（最判昭二九・七・二〇民集八・七・一四〇八）。

この判決も、「何等特別の事情なく」しては妨害排除請求権は認められないといつているわけで、特別の事情が何であるかは判旨からは伺えなかつた。しかしこの点も、後に明らかになつた。

㈢　対抗要件を具備した賃借権に肯定した最高裁判例

最高裁が大審院時代と違つて、妨害排除請求権は物権的効力から生ずるとする立場を一貫してとつてきていることについては、前に一言した。㈡に記した二つの判決【52】、【53】ではこの点の論旨がやや不明確であり、下級審判決を指導する理論としてはいささか物足りなかつたが、次の【54】判決以後においては漸次その態度は固まつていつたということができる。これらの判例をリードしていつたのは第二小法廷のそれであつた。

【54】　被上告人Xの父Aは建物所有の目的で本件係争地を所有主Bから賃借し、Aの死後Xは相続により借主としての権利義務を承継した。その後、本件土地所有権はBからCに譲渡された。ところが、Xの右借地上に所有していた家屋は戦災により焼失してしまつたので（借地借家臨時処理法によれば昭二一年七月一日から五年以内に右借地について権利を取得したものに対抗できる）、これに乗じてYはCから賃借したと称して本件係争地上に建物を建てるに至つた。そこで、XからYに対して建物の収去と土地の明渡を請求したのが本件の概要。一、二審ともにXの請求を認めたので、Yは上告理由として、

「元来本件土地に対してはYもXも同様なる債権たる賃借権を有するに過ぎずXが別に優位の権利を有するのではなく且Yは此賃借権を有する土地に家屋を所有し此所有権に基いて之を使用収益して居りXより優位の権限に基いて居るのでありますから、賃借人たるXは其地主たる賃貸人に対して賃借権を主張し其賃借地を自己に使用収益せしむる為め之が引渡を求め得るに止り第三者たるYに対しその侵害排除を要求することは出来ない」ことを主張したが、裁判所は――

「民法六〇五条は不動産の賃貸借は之を登記したときは爾後その不動産につき物権を取得した者に対してもその効力を生ずる旨を規定し、建物保護に関する法律では建物の所有を目的とする土地の賃借権により土地の賃借人がその土地の上に登記した建物を有するときは土地の賃貸借の登記がなくても賃借権をもつて第三者に対抗できる旨を規定しており、更に罹災都市借地借家臨時処理法一〇条によると罹災建物が滅失した当時から引き続きその建物の敷地又はその換地に借地権を有する者はその借地権の登記及びその土地にある建物の登記

がなくてもその借地権をもつて昭和二一年七月一日から五箇年以内にその土地について権利を取得した第三者に対抗できる旨を規定しているのであつて、これらの規定により土地の賃借権をもつてその土地につき権利を取得した第三者に対抗できる場合にはその賃借権はいわゆる物権的効力を有し、その土地につき物権を取得した第三者に対抗できるのみならずその土地につき賃借権を取得した者にも対抗できるのである。従つて第三者に対抗できる賃借権を有する者は爾後その土地につき賃借権を取得しこれにより地上に建物を建てて土地を使用する第三者に対し直接にその建物の収去、土地の明渡を請求することができるわけである。」（最判昭二八・一二・一八民集七・一二・一五一六）。

右によつて明らかなように、登記その他特別法によつて認められる対抗要件を具備した賃借権は、その目的物につき物権を取得した第三者に対抗できる効力すなわち物権的効力を有することになるから、第二の賃借人（不法な第三者はもとより）に対しても対抗でき、したがつてまた妨害排除を請求できるというのが、第二小法廷の立場であつた。この態度は次の二つの判決に連つている。

【55】　上告人Xは二十数年来Aから本件係争地を賃借し建物を所有しきたつたが、右建物は戦災により焼失してしまつた。Xが再建に着手する以前に、新たにAからその一部を借地したYは同宅地上に家屋を建築所有するので、XからYに対して借地権の確認と建物収去を請求したのが本件。

「土地の賃借権について、登記その他、その賃借権を以て第三者に対抗し得る要件を具備した場合は、その賃借権はいわゆる物権的効力を有し、その土地につき賃借権を取得した者に対しても妨害排除の請求をなし得ることは当裁判所の判例の示すところである（【54】第二小法廷判決）。原判決が土地の賃借権は債権であるからというだけの理由で、賃借権に基いて、第三者に対しその侵害の排除を求めることはできない旨判示したのは、如上の法理を誤つたものであつて、上告は理由あり、原判決は破棄を免れない」（最判昭二九・二・五民集八・二・三九〇）。

【56】 被上告人Xは本件土地を訴外Aから賃借し建物を所有していたところ、戦時中強制疎開により除却されたが、戦後疎開が解除されたので借地借家臨時処理法九条・二条にもとづき賃借の申出をした。他方上告人Yは、これに先立ち、Aから譲受けたBとの間に賃貸借契約を結び同地上に建物を建築したが、賃借権もしくは地上建物のいずれについても登記がないから、Xには対抗できないはずである、したがって建物を収去して土地を明渡せと請求したのがこの事件の概要。なおYは後にBから本件土地を買受け移転登記をしている。原審では、Xの主張を容れたので、Yは「強制疎開における敷地の借地権者は罹災建物の借主と同様優先借地権は認められるも、処理法には第三者に対抗する要件に付て規定がないから、建物を建て建物の登記をしなければ其借地権を以て対抗出来ないか、又之を必要としないかに付て疑があるが、処理法第十条の借地権者と比較し特に保護する理由がないから、之を消極に解するを至当とする、然るに原判決は之を反対に解した違法がある」として上告したが、

「罹災都市借地借家臨時処理法第二条に基く賃借権は対抗力を有し、したがつて、その登記及び地上建物の登記がなくても、右賃借権設定後その土地につき所有権取得の登記をした第三取得者に対抗し得ると解するのが相当である。論旨は理由がない」（最判昭三〇・二・一八民集九・二・一九五）。

この事件では、被告Yは後に係争地を買受け所有者となつているから、第三者による債権侵害の問題から第三取得者に対する対抗の問題へと移行したわけであつた。しかし、対抗力を有する賃借権はかかる第三取得者による妨害をも排除できるとして、建物収去・土地明渡しを認めたのである。

ところで、さきに【52】判決で第二小法廷の立場と対立するかに見えた第一小法廷が、この種の判例に同調したのは、二九年に現れた次の二つの判決においてであつた。

【57】 上告人がその上告理由第六点で強調したのは次の点であつた。

「原判決は、その理由において『しからば前記賃借申出をした日から三週間経過したときに控訴人Y_1は右申出を承諾したものとみなされ、従つて被控訴人Xはこの時に右土地について建物所有のための賃借権を取得したことになる。而してこの賃借権たるや他の発生原因によるものと異り、処理法（罹災都市借地借家臨時処理法のこと）が「他に優先して」と規定し、これを特に厚く保護しているところから見ればその設定されたとき当然対抗力をそなえ、従つてこれを侵害するものに対しては妨害排除を求め得る物権的な効力を帯有せしめた特殊な性格の賃借権であると解するを相当とする。それ故控訴人Y_2がX主張の建物を所有して本件土地四十二坪を占有していることはY_2の認めるところであるからXはY_2に対し右賃借権に基いて右建物収去土地明渡を求め得るものといわねばならない』と判示している。しかしながら、賃借権が我が民法上一種の債権であることは明白であり、建物所有を目的とする土地賃借権については建物保護に関する法律、借地法等により、賃借人の地位が著しく強化されたことは疑ないけれども、それは未だ賃借権の債権である本質を変更するまでに至つたものと解すべきではない。このことは、本件の如く処理法第二条によつて保護される賃借権と雖も異るところはないのである。同条に「他の者に優先して」とあるのは、同法第十条と同じくその賃借権を以て第三者に対抗し得ることを規定せるに止り、賃借権の債権たる本質を変じて物権的効力を保有せるものと解すべきではない。従つて原判決の右判示は処理法第二条の解釈を誤り法律を不法に適用せる違法があり破棄すべきである。」

これに対し裁判所は簡単に、

「当裁判所は、本件賃借権をその設定されたときに当然対抗力をそなえこれを侵害するものに対しては妨害排除を求めうる物権的な効力を帯有せしめた特殊な性格の賃借権であると解した原判決の判示を正当とするから（なお【54】、【55】第二小法廷判決参照）、論旨は採用することができない」としたのであつた（最判昭二九・六・一七民集八・六・一一二一）。

【58】　上告人は上告理由第五点で、「原告X等の本件賃借権は所謂戦災地借地権で戦時罹災土地物件令第六

条がかかる借地権につき第三者に対抗出来る旨を規定した法意は本件の如く罹災後に所有者より同一土地を賃借した第三者に対しても戦災地借地権は直接に自己の借地権を主張し其の妨害を排除する事が出来る旨……判示して居るけれども処理法第十条は……昭和二十一年七月一日から五ヶ年以内に其土地について権利を取得した第三者に対抗する事が出来る旨を規定して居るのであるから判示事実の如く上告人$Y_1$$Y_2$は上告人Aから昭和二一年四月頃賃借権を取得したのであるから右規定によつて被上告人X等が借地権があつても$Y_1$$Y_2$に対抗する事が出来ない事は同条の明文によつて明であり尚土地物件令第六条は民法六百五条並建物保護法の例外的規定である事は同条の規定によつて明であり此規定あるが故に本来債権たる賃借権が物権に変更されたものとは解する事が出来ない」と主張したが、裁判所は、

「原判決は、本件借地権が、戦時罹災土地物件令六条により上告人$Y_1$$Y_2$に対抗し得る旨説示したもので、罹災都市借地借家臨時処理法一〇条により対抗できるとしたものでないことはその判示に照し明白である。そして、原判決の右物件令六条の解釈は、正当であると認められるから、所論は、その前提において採用し難い」(最判昭二九・一〇・七民集八・一〇・一八一六)。

さきに、賃借人は「何等特別の事由なく」しては妨害排除請求はできないとした第三小法廷も、第二小法廷および第一小法廷の態度が確定するに及んで、これに同調することになつた。以下に掲げる判例も、前諸判例同様、借地借家臨時処理法にもとづく借地権の効力をめぐるものであつた。

【59】　無権限で本件係争地を占有するYに対するXの建物収去土地明渡請求を認めた一、二審判決に対して、上告人Yは判例（【33】【34】判決引用）違反を主張して「賃貸借契約上の権利は所謂債権的の権利であつて物上請求権のないこと従来幾多判例の有るところである」と述べたが、

「原審の確定した事実関係によれば、Xの借地権は罹災都市借地借家臨時処理法一〇条により第三者に対抗

できるものであることが明らかである。そしてかかる賃借権に基いて第三者に対し建物の収去土地の明渡を請求し得ること、当裁判所の判例（【54】【57】判決引用）の示すとおりであるから、原判決には所論のような違法はない。論旨援用の判例は本件に適切でないことおのずから明らかである」（最判昭三〇・四・五 民集九・四・四三一）。

【60】（上告理由）「借地借家臨時処理法第二条に他の者に優先してと云うは他の土地使用権との優劣を定めたものに過ぎないので一般第三者に対抗し得るには同法第十条の如く特別規定があつて初めて対抗出来るので右のような特別保護の規定の無い場合には一般民法の規定に従つて対抗要件を備えなければならぬのは当然である。或は対抗力を認めないとすれば同法第二条に基く借地申入権者を保護する方法が無いと云うかも知れぬが、土地所有者に対する仮処分で権利保全も出来るし侵害された場合には債権侵害に基く損害賠償の請求も出来る訳である。仮りに又保護上欠くる所あるからとて法律を不当に解釈する理由にはならぬ。尚ほ地上建物の登記や借地権の登記がなくとも何人にも対抗出来ると解する時は従来の借地権者ですら昭和二十一年七月一日から五ケ年間しか対抗要件が無くとも対抗出来る権利しか無いのにたまたま罹災建物を借りて居たと云う偶然の関係丈で其の権利を認めたに過ぎない借地申入権者により以上の強力なる権利を認める事となり同法第十条の規定との均衡を失する事となる事が明らかであるから原判決の如く解するは不当である」。

（判決理由）「所論は、罹災都市借地借家臨時処理法二条の規定により設定された借地権につき、その登記又は地上建物の登記がなくとも、一〇年間その土地について権利を取得した第三者に対抗しうる旨の原判示を違法と主張する。しかし、右の原判示は相当と認められるのみならず同法二条により設定された借地権は、その登記又は地上建物の登記がなくても、その設定ありとされたときにおいて対抗要件を具えた借地権と解すべきであり、同法五条は右借地権の存続期間を少くとも一〇年と定めているに止り、他に右借地権の前記対抗力を制限するものと解すべき規定は存しない。従つて、右借地権の対抗力は、その最低存続期間である一〇年間は存続するものと解すべきである。なお、同法一〇条は、罹災建物の敷地につき、従前より引続き借地権を有する者が、その登記又は地上建物の登記がなくても、右土地につき権利を取得した第三者に借地権を対抗しうる期間を定めているものであつて、直接、右の借地権の対抗力の存続期間を定めるものに外ならず、従つてかかる借地権の対抗力を、同条所定の限度においてのみ認め、右の借地権者の保護の必要をその程度に止めたからといつて、これがため、直ちに、前記二条の規定により設定された借地権の対抗の存続期間を、一〇年と解することを以て、均衡を失するものとすることはできない。所論は採用できない」（最判昭三〇・一〇・一八民集九・一一・一六三三）。

四　判例・学説の検討

（一）　右に記した判例を概観して分るように、妨害排除請求権が問題となつた事案はいずれも不動産賃借権に関するものであつた。しかも、戦前の大審院判例を中心とする諸判例、および戦後の下級審判例に見られる対立に終止符をうつて、最高裁はほぼ一貫した態度を打出すに至つた。すなわち、不動産賃借権に関し最高裁は、もつぱら対抗要件（臨時処理法二条三条の優先的効力も含めて）を具備しているか否かに着目し、これを備えている場合に限つて（民六〇五条、建物保護法一条、臨時処理法二・三・一〇条、罹災土地物件令三条などによる）物権的効力を取得するものとし、これに妨害排除請求権を認めるという立場である。したがつて、かかる対抗力を有しない不動産賃借権は、占有を伴う場合においても、占有訴権は別として、賃借権自体にもとづく妨害排除権は認められない、とするのである。

このような判例理論に対しては、二つの面からする批判がある。第一は、不法行為者および目的物につき有効な取引関係に立たない第三者（二重賃借人は除かれる意か）に対しては、占有取得を条件として（占有を取得しても対抗力を生じない不動産賃借権があるから）妨害排除請求権を認めて然るべきではないか、というのであり（古山・前掲三五頁、我妻・各論中一・四二一頁）、さらに、占有未取得の利用権的債権についても、賃貸人に排除を請求するのみでは保護に欠けるおそれがあるから、債権者代位権によることなく（判例は肯定、後掲参照）、直接第三者に対し妨害排除を認めるべき必要はないか、との批判である（舟橋・前掲二五頁以下、松坂・総論一五頁、但し好美「債権に基く妨害排除請求についての考察」法学研究2・三〇八頁はこの必要性を認めながらも、債権者代位権によるべきことを主張する）。前者は、占有を取得した賃借権は物権化したとの前提に立つての批判であろうが、現行法上占有をもつて対抗要件とされるに至つた特殊の賃借権については占有即物権化ということがいえても、それ以外に拡張できる根拠はない。大審院の伝統的理論が考慮していたと思われる、賃借権の物権化という社会的要請にマッチさせるための発想としては是認できようが、占有を取得した賃借権はすべて物権化したと一般化する理由は薄弱である。対抗要件を具備した賃借権に限定すべきではないとしたら、後者の道を辿るほかない。後者の立場に立つ論者は、さらに、対抗要件の取得即物権化であり、かつ排他性の具備であるとして、これを理由に妨害排除請求を認めることに対しては、排他性は本来物権の他の物権に対する優先的効力の問題であるから（不法行為者に対しては対抗要件なくして対抗しうることを考えよ）、妨害排除請求権の存否を排他性の有無にかかわらせることは妥当でないと批判している（舟橋・前掲三四頁）。

（二）　たしかに、最高裁の立場は狭きに失する感がある。これまで大審院時代の判例は、「土地ノ賃借人カ賃貸人ニ対シ該土地ノ使用収益ヲ為サシムヘキ債権ヲ有スル場合ニ於テ第三者カ其ノ土地ヲ不法ニ占拠シ使用収益ヲ妨クルトキハ土地ノ賃借人ハ右ノ債権ヲ保全スル為第四二三条ニ依リ右賃貸人ノ有スル土地妨害排除ノ請求権ヲ行使スルコトヲ得ヘキモノトス」（大判昭四・一二・一六民集八・九四四、同旨大判昭五・一一・二九評論二〇民一二九、大判昭五・一二・一六民集九・一一三一、大判昭七・七・一七民集一一・一四九八など）として、債権者代位権によつてかなり広く（債務者と第三者が共謀したときは認められないとしても）救済を与えようとしていた。最高裁も右の諸判例を否定するものではあるまいから、対抗力を有しない利用権的債権についてはもつぱら債権者代位権によつて妨害排除を肯定しようとする態度かとも考えられる。そして、占有を具備する場合には占有訴権によることがもとより可能であるから、債権侵害に対する妨害排除の問題は、最高裁の立場からも一応は解決されていると考えられないことはない。

しかし、占有訴権や債権者代位権によつて妨害排除が可能であるとするなら、直接債権にもとづいてはなぜ不可能であるかの根拠がなければならない。物権と債権を峻別し、妨害排除請求権は物権に固有なものとし（したがつて物権的請求権と呼ばれる）、ただ占有を伴つた利用権的債権については、物の利用そのものの保護を主目的とする占有訴権によるべきことを主張する立場（川島・所有権法の理論一五九頁以下）は、理論的に一貫し、これを支持する学説も多いようであるが（来栖・各論六三頁以下、幾代「判例評釈」民商三〇・三一六頁以下）、占有未取得の不動産賃借権については不法占拠者による侵害をも排除できないとする点に最大の難点がある。物権と区別された債権の本質上止むをえない、というだけでは納得し難いものがある。次に、これをカバーする意味で債権者代位権の行使を認める立場は（好美・前掲二六二頁三〇八頁）、比較法的研究を踏まえた上での精緻な理論と考えられるが、すでに批判があるように（舟橋・前掲三六頁）、賃借権自体にもとづいては妨害排除ができないのに、債権者代位権の行使という廻り道を通れば（「債務者の一般財産保全のため」という要件を外す立場に立つわけだから）難なく排除ができる、という点に重大な欠陥があるように思われる。最高裁判例がこれらの学説に従つている限りにおいて、同様の批判が加えられよう。

このように考えてくると、妨害排除請求権についても、不法行為の成否に関する最近の学説にならって、被侵害利益の種類・性質と侵害行為の悪性の程度を相関的に考慮した上で、さらに妨害排除を認めることによつて生ずべき侵害者の犠牲の程度と、これを否認することによつて生ずべき被害者の不利益の程度をも相関的に考慮して、その存否を判断しようとする考え方（舟橋・前掲三六頁以下）が妥当なように思われる。これに対しては、往時の不可侵性説の焼き直し（好美・前掲二五〇頁以下、三〇八頁参照）であり、物権・債権峻別の近代法の基本体系および不法行為の救済に原状回復を認めないわが民法の建前に矛盾するから、解釈論としては認め難いとの批判が予想される。しかし、対抗力を備えた利用権的債権や占有を取得したそれだけでなく、そのいずれをも具備しない利用権的債権についても妨害排除を認めるべきだとしたなら、債権者代位権という迂路をとるか権利の不可侵性ということから出発するかは、結局選択の問題に過ぎないのではなかろうか。相関的判断説によったところで、その要件を前記のように総合的に考慮するなら（具体的な適用方法の一例として、舟橋・前掲三八頁参照）、案じられるような弊害は生じないであろう。

（三）　妨害排除請求権が問題となつた判例の事案は不動産賃借権に限られるが、学説の中には、「第三者が濫りに介入して労務者の引き抜きをやる等の場合には、使用者はその妨害に対して妨害の停止を求め、場合によつては妨害の予防をすら求める必要がある」という理由の下に、雇用契約上の使用者の債権にもこれを認めるものがある（吾妻・債権法六頁、同旨、松坂・総論一五頁、舟橋・物権法三七頁）。しかし、雇用契約の性質上労働者の自由意思は最大に尊重すべきであるから、引抜きに応じた労働者の意思を無視して妨害排除を認むべきではない。第二の使用者の引抜き行為に違法性があるときは不法行為として損害賠償の請求を認めれば第一の使用者の保護としては足りるはずである。また、労働者の意思を無視した不当監禁等による侵害の場合は、労働者を不法な拘束から解放することが先決問題であり、かつそれによつて問題は解決すべきものであるから、この場合も妨害排除請求を考慮する必要はない（以上の点につき、好美・前掲二九四頁以下参照）。

動産賃借権等についてはその実際的必要性はあまりないであろうが、占有取得後は占有訴権によりうるほか、賃借権自体にもとづいても妨害排除を認めるのに支障はないと考える。占有取得前では、その必要性はほとんどないと思われるが、場合によつては認めて差支えないであろう。しかし、これらの問題を取扱つた判例は、まだ現れていない。

控訴院判例

高等裁判所判例

地方裁判所判例

区裁判所判例

判　例　索　引

大審院判例

最高裁判所判例

著者紹介

三島宗彦（みしま むねひこ） 金沢大学助教授

総合判例研究叢書　民　法 (18)

昭和37年5月25日　初版第1刷印刷
昭和37年5月30日　初版第1刷発行

著作者　三島宗彦

発行者　江草四郎

東京都千代田区神田神保町2ノ17
発行所　株式会社　有斐閣
電話九段（331）0323・0344
振替口座東京370番

藤本印刷・稲村製本

総合判例研究叢書 民法(18)
(オンデマンド版)

2013年1月15日 発行

著 者 三島 宗彦
発行者 江草 貞治
発行所 株式会社 有斐閣
〒101-0051 東京都千代田区神田神保町2-17
TEL 03(3264)1314(編集) 03(3265)6811(営業)
URL http://www.yuhikaku.co.jp/

印刷・製本 株式会社 デジタルパブリッシングサービス
URL http://www.d-pub.co.jp/

AG471

ISBN4-641-90997-0 Printed in Japan